детектив–событие

Что такое
детектив–событие
от Евгении МИХАЙЛОВОЙ?

Её истории покоряют с первой страницы. Многолетний опыт журналистских расследований помогает ей выбирать острые, как лезвие, темы – и населять романы неординарными, вызывающе яркими персонажами. Но самое главное – каждый из героев получает в финале то, чего заслуживает. Потому что истина и любовь должны побеждать всегда!

детектив–событие

Евгения Михайлова

ТАНЦОВЩИЦА В ЛУЧЕ СМЕРТИ

детектив–событие

Евгения Михайлова

Длиннее века, короче дня

детектив – событие

Читайте детективы Евгении Михайловой, в которых истина и любовь побеждают всегда, несмотря на самые тяжелые испытания!

■

Евгения Михайлова

ГОРОД СОЖЖЕННЫХ КОРАБЛЕЙ

Москва
2015

УДК 821.161.1-312.4
ББК 84(2Рос=Рус)6-44
М69

Оформление серии *С. Груздева*

Михайлова, Евгения.
М69 Город сожженных кораблей : [роман] / Евгения Михайлова. — Москва : Издательство «Э», 2015. — 320 с. — (Детектив-событие).

ISBN 978-5-699-83663-5

Артем любил Элизу еще со школы, хотя все эти годы она оставалась для него недосягаемой звездой. И теперь именно его обвиняют в убийстве девушки, ведь на его одежде обнаружена кровь Элизы. Но как она туда попала?..

Родители Элизы покинули морг в полуобморочном состоянии: это оказалась не их дочь! Но почему тогда на погибшей девушке ее одежда?..

Детектив Сергей Кольцов привык ничему не удивляться: убитая Лера Сикорская оказалась внебрачной дочерью отца Элизы. Но зачем сестры поменялись одеждой и куда пропала сама Элиза?..

Все знают, что равнодушие убивает, но инстинктивно стремятся оградить себя от темных сторон жизни. Однако только от нас зависит, станут ли они когда-нибудь светлыми…

УДК 821.161.1-312.4
ББК 84(2Рос=Рус)6-44

ISBN 978-5-699-83663-5

Часть первая
С ЛЮБОВЬЮ

Глава 1

Там-та-там-та-там-та-там. Та-там-та-там. Та-там-та-там...

Мелодия «К Элизе». Она внедрялась в мозг Артема внезапно и безо всякого его желания. Он не был музыкально одаренным, он терпеть не мог музыкальную школу, в которую его отдали, как он считал, по одной причине: у них дома от предков остался роскошный антикварный рояль. Если его продать, можно было бы накупить айфонов, айпадов, планшетников, съездить во Флориду на все каникулы или просто купить нормальную машину вместо папиного примуса. Какой-нибудь шикарный внедорожник. Лучше всего «Мерседес». Как сказал однажды папин друг: «На свете существует две марки автомобилей: «Мерседес» и «НЕ Мерседес». И все были бы довольны, особенно папа, если бы у них была другая мама. Нет, Артем не хотел другую маму, просто ему иногда хотелось исправить эту. Это хорошо, что она такая интеллигентная, симпатичная, с ней приятно куда-то пойти. И вообще с ней хорошо. Она считается с ним, уважает его права, она добрая и ласковая. Просто в чем-то она — кремень. Их семья — это бюджетники, то ли средний класс, то ли вообще нищий класс. С деньгами всегда проблемы. Но если бы мама не покупала дорогие книги, если бы не держалась, как за великую ценность, за этот рояль, который, кстати, многие хотели у них купить, — он был какой-то знаменитый, — то у них появились бы деньги, а с ними — возможности, которые сейчас есть у детей каких-то черных риелторов, коммунальщиков и прочих непонятных людей. Сидеть в НИИ с гордо поднятой головой, может, и красиво, если вообще нет ничего. А у них рояль, записки предков-декабристов. Непростые они люди, только кого это сейчас интересует? То есть обидно, что есть коллекционеры, которых интересуют даже желтые, рассыпающиеся листки дневников их предков. Это люди, у которых много денег. Те, у которых их меньше, думают только об одном: что, где, почем, какая последняя версия. А у Артема, как у всей его семьи, — вообще кнопочные телефоны. Стыдно вынимать, когда звонит.

Он говорил, конечно, об этом с мамой. Но что у него могло получиться, кроме полного облома? У мамы, как сказано у Чехова, «все прекрасно: и душа, и мысли...». Говорит она красиво. Например: «Память и честь не продают». Кто он рядом с ней... С бедной, но эмоционально богатой представительницей славного рода, который она не хочет выставлять напоказ, с ее степенью в науке, за которую, оказывается, почти не платят. Артем даже пытался как-то сказать, объяснить, что все это можно сохранить, став чуть-чуть богаче. Ну, этот рояль... Мама просто смотрела на сына, как будто жалея. Но он сразу начинал себя чувствовать дикарем, не усвоившим семейные ценности. Человеком, который вылезает из своего нелепого отрочества, чтобы влезть в совсем неуютную юность. Никаких вариантов не было, кроме того, чтобы поступить на бюджетное отделение того вуза, который закончили родители, и выйдет он из вуза младшим научным сотрудником НИИ — смешно сказать, за какие деньги. Нормальный «Самсунг» стоит столько, сколько мамина и папина месячные зарплаты, вместе взятые.

Артем не был меркантильным, он не был закомплексованным, просто жизнь, как вдруг ему показалось, пошла не так. Он вообще-то был мастером спорта по плаванию. И вообще симпатичный. Может, это уже глюки из-за неудач, но ему иногда казалось, что во всем виноват рояль. Что он навис над его судьбой как проклятие. Вообще-то закончить музыкалку, раз маме так хотелось, на тройки и забыть о ней — нет проблем. Дело в том, что ему понравилась эта мелодия — «К Элизе». Она не привила ему любви к музыке в принципе, интереса к творчеству Бетховена в частности, дело и не в том, что она достаточно легкая даже для не очень музыкального человека. Она просто на что-то легла, совпала... С чем-то в нем. Возможно, в каждом человеке живет его мелодия, но не каждый ее находит. А тут так случилось. Случилось с ним что-то невероятное. Он вообще-то не мямля и не нытик. И крепко стоит на земле. И родители бы сильно удивились, узнав, что мужчиной он стал в шестнадцать лет. И первый опыт был со взрослой, замужней женщиной из их до-

7

ма. Потом были другие, среди них иногда — обычные районные «давалки», он их даже никогда по именам не называл. А «К Элизе» звучала у него в мозгу совсем не просто так. Это «там-та-там-та там-та-там» мгновенно ассоциировалось с образом девочки-одноклассницы. Вот просто накладывалась эта мелодия, как будто девочка не ходила, а танцевала, не говорила, а напевала. Невероятным было и то, что девочку в школе звали Лизой, но по документам она была Элиза. То ли тоже что-то с родней у них сложное, то ли родители выпендрились. Но шло ей это имя, как зеленый листок розовому бутону. Невысокая, чуть полноватая, с пушистой копной темно-русых волос и ярким лицом, как будто с картины или праздничной открытки. Серые глаза — немного больше и глубже, чем у остальных людей, длинные ресницы, на которые она в качестве эксперимента выкладывала спички в ряд. Предлагала другим девочкам так делать, чтобы измерить, у кого длиннее. Но никто с ней не соревновался: и так все ясно. И губы у нее были как крупное яркое сердце. Когда улыбалась, в уголках появлялись ямочки. И маленькие, красивые ушки, как украшения.

Лизу привозил и увозил водитель. На переменах вокруг нее вечно толклась куча ребят, не только из их класса. Шансов пробиться не было. Вообще-то, ни у кого шансов не было, потому что в выпускном классе за ней стал приезжать взрослый мужчина на шикарном «Лендровере», потом другой — на «мерсе»... Артем просто не мог выбросить ее из головы. Однажды она пришла к нему на день рождения. Он

ЕВГЕНИЯ МИХАЙЛОВА

перед этим не спал всю ночь. Он искал слова. Ему мама говорила, что женщина любит ушами... У него появился такой шанс! Лиза заинтересовалась роялем, а он проиграл «К Элизе» и сказал, что всегда думает о ней, даже больше: он видит ее, когда слышит эту музыку.

Лиза улыбнулась, показав свои ямочки, и мило ответила:

— Даже не сосчитаю, сколько людей мне это говорили. Надо же было маме меня так назвать! Но мне нравится эта музыка, твой рояль, играешь ты тоже неплохо.

Это был конец надеждам. Артем — не тупой. На чудо можно понадеяться один раз. Второй — это уже просто глупость. В ту ночь, после своего дня рождения, он понял, что любовь и ненависть — это почти одно и то же. Вмиг меняется знак плюс на знак минус, и ты больше не хочешь подарить великое счастье избраннице, ты начинаешь ждать ее несчастий. Так рояль, Бетховен и странная женщина, которая назвала дочь дурацким, по сути, именем, заполнили жизнь Артема жгучей смесью: нежностью, страстью, жестокостью и жаждой возмездия. Внешне его жизнь была такой же, как и прежде. У него менялись женщины, он заканчивал институт, встречался во дворе с Лизой, они улыбались друг другу, и он уже потерял счет ее кавалерам. Однажды еще не темным вечером он видел, как ее страстно целует элегантный мужчина, похожий на иностранца. Артем спокойно прошел мимо, вошел в свою квартиру, обнаружил, к своему облегчению, что родителей еще нет, и с такой силой

9

начал колотить о стену кулаками, что, когда сумел остановиться, увидел разбитые костяшки пальцев, все было в крови. Он замыл стену, перевязал кое-как руки, быстро лег в постель и выключил свет. Утром сказал маме, что на него напали бандиты, он защищался. Она чем-то мазала, лечила, он не пошел в институт. Было очень больно, и ему было совершенно ясно, что он сможет убить Лизу. Поэтому лучше ему держаться от нее подальше. Человек, который понимает, что может стать преступником, наверное, не совсем конченый человек. На этом он и остановил анализ своих эмоций. Он не убьет ее, потому что хочет жить на свободе, а не потому, что она этого не заслуживает. Здравый смысл ему подсказывал, что она ему ничем не обязана и ничего не обещала, но здравый смысл в этом вопросе, кажется, потерял право голоса.

Глава 2

Сергей Кольцов, частный детектив, который остался в резерве Генпрокуратуры, проработав там немало лет и продолжая выполнять некоторые задания, согласился выполнять обязанности своего давнего друга, еще по Генпрокуратуре, Славы Земцова, начальника отдела по расследованию убийств. Отпуск был внезапным и вынужденным. Славе нужно было срочно поехать в Новочеркасск, где тяжело заболела его бабушка. Его единственная родственница. Мать рано умерла от рака, биологического отца ему как-то не довелось увидеть. Не особенно и хотелось. Ну, и так уж повелось, что отдел доверял он по жизни только Сергею. Они всегда работали вместе, но очень по-разному, постоянно пикировались, но каждый просто знал, что вместе у них рано или поздно все получится. Отпуск Слава не брал как минимум несколько лет. И тут все случилось, ехать надо было срочно, Сергей к такой каторге готов не был. Он работал по ночам, тащиться утром в отдел было пыткой. И мечтал он только об одном: вести только дела, начатые Славой, чтобы не свалилось на него какое-то новое убийство, дело, которое придется открывать самому.

В это утро Сергей понял: чего нельзя делать следователю, так это мечтать. Потому что убийство случилось. А он был не на подхвате, как частный детектив, не прокурор с надзором, не на вольном режиме, а в бюрократической клетке, где особо не развернешься, не пройдешь по грани законности, подставляя сотрудников. Соловей в клетке не поет, с тоской думал Сергей по дороге к месту преступления. Убита девушка. То ли на рассвете, то ли утром, «Скорая» и эксперт уже на месте. Вот они все. Сергей с тремя сотрудниками вышел из машины и, не торопясь, направился к газону сквера, где врачи уже составляли акт, а эксперт отдела Александр Васильевич Масленников шел к ним навстречу.

— Приветствую всех. Сережа, понимаю твои чувства. Все на лице. Одно дело — помогать или мешать Славе, другое — когда всё на тебе.

— Спасибо за сочувствие, надеюсь, не бросите меня. Я уже как-то забыл, что это значит: и отчеты писать, и свидетелей опрашивать. Для меня это давно вещи, мешающие сути. Или писать, или искать убийцу. Как получается. Что там, Александр Васильевич? Изнасилование?

— Да нет. Что странно. Дикое, точнее, дикарское убийство. Девушку догнали и били сзади по голове чем-то вроде металлической трубки, палки. Скорее всего, тяжелая литая палка, такие часто предпочитают слепые люди современной легкой трости. Она дает устойчивость и меньше стоит.

— Но вы же не думаете, что какой-то слепой это сделал?

— Да, Сережа, отсутствие свободы и ранние подъемы на тебе не очень здорово сказываются. Я описываю предмет убийства, а не убийцу.

— Уже сообразил. Плохо без Земцова, который всегда был крайним и глупее меня.

— Ладно, не комплексуй. Я все сделал, врачи тоже готовы увозить. Пойдем, посмотришь.

Сергей с Масленниковым подошли к телу девушки, явно невысокой, полноватой, в красивом пальто терракотового цвета с капюшоном, отделанным такого же цвета искусственным мехом. Элегантные, дорогие сапоги, руки в тонких перчатках. Вместо волос — комок подмерзшей крови, лицо искажено и тоже в застывшей крови. Пальто было расстегнуто врачами. Под ним — строгое по фасону и очень нарядное по цвету платье: какой-то самый удачный и богатый оттенок бордового. Конечно, и в таком платье можно пойти на работу, но оно на рабочем месте уместно смотреться не будет. А девушка одета

Евгения Михайлова

со вкусом и умением. Да и район спальный, здесь, наверное, только магазины, кафе, химчистки, парикмахерские... Вася, сотрудник, уже сделал фото во всех ракурсах. Только опознать будет нелегко. Разве что по одежде.

— Мы ее перевернули, — сказал Масленников. — Лежала лицом вниз. Звонок был по ноль-два. Отказались представиться. Оператор приняла и сообщила в наш отдел. Районные то ли отказались, то ли у них что-то сильно важное, как обычно. В общем, Сережа, как получилось, так получилось. Обрати внимание: нет сумки. В карманах — ни денег, ни документов, ни мобильного. Значит, все было в сумке. Слушай, могли просто из-за сумки. У меня было недавно дело, когда так же напали на женщину, у нее в сумке было пятьсот рублей. Выжила, трепанация черепа, инвалидность на всю жизнь.

— Озверели, подонки, — выдохнул Сергей. — Поймаем — начнет косить под невменяемого.

— Ну, это с нами не пройдет. Даже если невменяемый. Через этот сквер выход к нескольким домам. Микрорайон очень приличный. Стоянка там, за оградой. Может, она приехала на своей машине, может, на такси. Может, кто-то подвез.

— Мог и подвезти, чтобы потом изобразить «дикарское убийство» ради сумки.

— А неплохая версия. В любом случае, Сережа, погода нам в помощь. Снег с ночи идет. Что-то можно найти. Если твоя версия верна, то и сумка может быть выброшена неподалеку. После такого от нее избавляться надо быстро.

13

— Да это и не версия пока, а так, разминка мозгов. У такой девушки в сумке могла быть большая сумма, и кто-то об этом, возможно, знал.

— И в этом случае от сумки, документов и прочего надо избавляться.

— Придется нам с ребятами заняться прежде всего ароматной работой: палку по мусорным бакам искать. И сумку. Позвоню Толе, чтобы Дика привез. Он по запаху крови найдет. Вряд ли далеко выбросили. А скоро поедут машины мусор выбирать. Вам большое спасибо. Вам тоже, — повернулся Сергей к врачам «Скорой». — Можете увозить.

Александр Васильевич закрыл свой знаменитый вечный портфель.

— Следов вокруг немного, но они разные. Кто-то прошел раньше, кто-то мимо, кто-то убил. Надо устанавливать ее личность.

— Не факт, что здесь жила. Могла как раз к кому-то приехать. Сколько ей лет, как вам показалось?

— Ты же видел, что с лицом. Если бы хотя бы на спине лежала, так бы не отекло. Все остальное — сейчас это не самый простой вопрос. Может быть и двадцать, и тридцать, и больше. Но разберемся, конечно. Да, забыл сказать: это произошло три часа назад.

— Значит, в семь утра. Могли быть свидетели.

— Ну, тут-то у тебя алгоритм есть. Ищи, как всегда, собачников. Кто еще гуляет в сквере в семь утра.

— Жаворонки, блин. В существование которых я не верю.

Евгения Михайлова

Глава 3

Артем находился в очень большой и яркой комнате, в какой на самом деле никогда не бывал. Из знакомых вещей — только рояль. И он стоя наигрывает мелодию «там-та-там-та-там-та там...». Из комнаты он видит какой-то огромный холл, по которому уходит Лиза. Она в бордовом платье, сняла с вешалки терракотовое пальто, он пытается ее позвать, но голоса нет, понимает, что нужно догнать, только ноги скованные. Он во сне понимает, что это сон. Что это ненормальный сон, потому что он слишком похож на действительность.

Его утром будила мама, он слышал и все понимал, но проснуться окончательно не мог. С ним было что-то не так. Как будто простуда или грипп. Мама потрогала его лоб губами, а потом тихонько ушла на работу. Отец всегда уходил раньше. Пропустить день для них было нереально. В отделе осталось несколько сотрудников. В лаборатории — одна лаборантка. Поэтому полдня Ирина Васильева, мать Артема, проводила в лаборатории. Она знала, что тот день, в который наука, даже в маленьком объеме одного отдела одного НИИ, не продвинется на крошечный шаг вперед, она провалится на десятилетия, а может, и столетия назад. Это и есть главная аксиома науки в целом.

Через несколько часов после того, как за мамой закрылась входная дверь, Артему удалось открыть глаза, подняться, дойти до кухни и долго пить воду прямо из-под крана. Есть не хотелось — подташнивало. Он добрался обратно до кровати и упал на нее, на лету проваливаясь в полусон-полубред.

Было уже обеденное время, когда Артем понял, что противный, вонзающийся прямо в мозг звук — это звонок в дверь. Он заставил себя встать, натянул джинсы, которые валялись рядом с кроватью на ковре. Почему-то не было ни майки, ни футболки, ни джемпера. Наверное, мама забрала в бак для грязного белья. В дверь продолжали звонить. Артем открыл шкаф, взял чистую футболку, натянул, потряс головой, чтобы мозги встали на место. Но они не встали. Какая-то муть в голове, глаза режет. Может, не открывать и лечь опять? Но звонят так настойчиво, как будто знают, что он дома. Это может быть кто-то из родителей. Они часто забывали ключи. Чаще папа. Он все мог забыть: и ключи, и телефон. Постоянно витал в своих исследованиях. Артем пошел в прихожую и открыл дверь, не посмотрев в глазок, не спросив: «Кто там?»

На площадке стояли три незнакомых мужчины. На лестнице — еще один с немецкой овчаркой. Они смотрели на него как-то без всякого выражения и в то же время держались настолько уверенно, что было ясно: они не ошиблись. Один, высокий и синеглазый, показал красную корочку. Артем напряженно стал вспоминать, что значат эти буквы. Вспомнил. Это менты.

— А в чем дело? — спросил он.

— Добрый день, — сказал синеглазый. — Меня зовут Сергей Кольцов. Я руководитель отдела по расследованию убийств.

Евгения Михайлова

— И почему вы сообщаете об этом мне?

— Мы войдем, с вашего позволения, — сказал Сергей, и они вошли, просто отодвинув его от двери, которую сами и захлопнули. — Произошло убийство сегодня утром, примерно в семь часов. Девушку убили. И мы по следам и прочим уликам пришли к вашей квартире. Ничего не утверждаю пока, но у нас получилось, что убийца вошел сюда.

Артем прислонился к стене.

— Понимаете, я заболел, мне трудно вас понять. Но дома никого, кроме меня, нет. Где этот ваш убийца?

— Мы пришли по свежим следам. Ордер я не успел выписать. Но прошу разрешить нам осмотреть квартиру. Оперативная необходимость. Мы ведь все равно получим ордер. Повторяю: следы привели сюда. Это ваши ботинки? — Сергей поднял с пола темно-рыжие замшевые ботинки. — Мне придется их изъять. Они подходят по размеру, и подошва такая. Такие ботинки вообще оставляют четкие следы.

— А с какой стати вы будете их забирать? Они мне нужны.

— На них может быть кровь.

— Чья?

— Пока не знаем имени-фамилии. Это девушка, невысокая, полноватая, темно-русая, она была в бордовом платье и терракотовом пальто с капюшоном.

Артем покачнулся, потом зажал руками рот и бросился в ванную. Его стошнило. Он по-прежнему ничего не понимал, он явно не спал, но сон продолжался. Он стал чудовищным.

Глава 4

Галина Никитина, жена довольно известного бизнесмена, владельца сети ресторанов и бутиков, мать взрослой дочери Элизы, жила в мире старательно и продуманно выстроенных компромиссов. Все, что могло бы стать проблемой, что могло бы стать огромной проблемой, она просто запускала в этот свой мир, как в лабораторию, чтобы рассмотреть с разных сторон. Что-то с одной стороны — ужас-ужас, как, например, явные измены мужа, с другой — это основа ее личной свободы, комфортного и обеспеченного состояния. У Виталия в принципе есть совесть и комплекс вины, и он хорошо компенсирует во всех отношениях, в том числе психологическом, свое, скажем так, жизнелюбие. Более того, он считает ее идеальной женой (еще бы он так не считал!), редкой женщиной, которая принимает его таким, какой он есть, ничего не требует, не устраивает никаких сцен ревности и скандалов. Его любовницы доставляли ему куда больше хлопот, от некоторых было столько неприятностей, что в какой-то момент для него было счастьем — просто избавиться. Галина продолжает нравиться Виталию как женщина. Она всегда ухоженна, со вкусом одета, у них полноценная физическая близость, этому как-то ничто не мешает. И самое главное: Галя — отличная мать их Лизочки; дочь в первые дни после рождения показалась обоим такой красавицей, что они решили дать ей сказочное, музыкальное имя Элиза. И она такой красавицей и выросла. Виталий, вполне самоуверенный человек, перед дочерью немного робел, хотя всегда пытался скрывать это за шутками. Ему казалось, что она настолько ярче и умнее их обоих, ярче всех, кого он знал вообще, что он был просто обязан лезть из кожи, но обеспечить ей существование принцессы. И это было самое малое, что он мог дать ей. Потому что, когда началась ее взрослая жизнь, появились серьезные ухажеры — это иногда были его партнеры или конкуренты, — он часто знал, что какой-то человек ей точно не подходит. Иногда это был просто очень плохой человек. Но ни он, ни Галя не вмешивались в ее личные отношения. А они часто бывали бурными, драматичными, это невозможно было не заметить. Элиза не была такой идеальной женщиной, как Галя. Она была лучше. Она была выше и сильнее компромиссов, она была требовательной и, наверное, ревнивой, страстной, в то же время крайне независимой, свободной, и потому разрывы с очередным претендентом происходили бурно, с объяснениями. Элиза никогда не пересматривала своего решения. Она уходила навсегда от того, в ком разочаровалась. При этом иногда очень страдала. Потому что прощать не умела, а привязанность, особенно физическая, в один день не проходит. И страдала она жестоко, потому что не отвлекалась искусственно, не принимала предложений родителей: путешествия, подарки. Она должна была сама с собой все покончить и поставить точку на периоде жизни. Чтобы в следующий период войти вольной, очищенной, не бросаться к кому-то или чему-то с затуманенными обидой глазами. Элиза не была ни расчетливой, ни алчной, не была ни интриганкой, ни тусовщицей. Она была сама по себе. И хотела, чтобы ее такой принимали. Только такой. Виталий однажды слышал, как Галина сказала дочери: «Никогда не забывай, что есть судьба, и именно она позаботится, чтобы ты встретила своего принца». У Лизы был период разочарования, и она рассмеялась:

— Ох, мама, эти принцы — через одного козлы. Надо разбираться без судьбы. Она такого может наворотить!

Виталий подумал, что дочь, как всегда, права. Галина вздохнула. Девочка лишает себя возможности уйти от резкого решения, ответственности, сказать себе: «Это судьба» — и выстроить мир компромиссов, в котором можно очень комфортно себя чувствовать. Вроде бы все есть: красота, ум, богатые родители, возможности карьеры — Лиза скоро закончит МГИМО и может поехать в любую хорошую страну, отец что-то подыщет. Где-то есть самые настоящие принцы, она могла бы кому-то понравиться. То есть не могла бы не понравиться. Но с таким настроем и характером в любых отношениях можно загнать себя в угол. Потому что мужчина и женщина даже в любви в какой-то степени остаются врагами, потому и называются «противоположными полами». А любовь — это немножко война: кто кому подчинится. Галя тоже считала дочь очень умной, просто ее собственная позиция по жизни — самая разумная. Так можно обойти горе от ума. Оно вообще не для женщины. Так думала Галя, но мысли свои озвучивать не имело смысла. Для Лизы существуют только ее мысли. Навязывать что-то дочери — не входило в жизненные принципы Гали. Это невозможно. Элиза не оценит Галиных достижений: ведь она всю жизнь ни разу всерьез не поссорилась ни с мужем, ни с дочерью. Это ли не семейное счастье? Лиза, конечно, сказала бы: «Нет, это приспособленчество». Поэтому Галина и не задаст ей такого вопроса.

Она собиралась к косметологу, когда позвонила подруга Люба.

— Привет. Как дела?

— Привет. Все нормально. Извини, опаздываю к косметологу.

— Да, я помню, что ты в это время ездишь. Галя, а Лиза дома?

— Нет. Ее уже два дня нет. Они с Игорем уехали на несколько дней к нему, в его дом. У него свободные дни появились, у нее сессия началась. Тоже свободные дни. А почему ты спрашиваешь? Она тебе нужна?

— Галь, а она тебе звонила от Игоря?

— Нет, она вообще в таких случаях не звонит, только по делу. А что?

— А ты ей не звонила? — Люба настойчиво не отвечала на вопросы.

— Нет... Люба, в чем дело?

— Даже не знаю, ерунда, конечно. Просто решила спросить. Ну, ты знаешь, по телику страшилки всегда показывают. Девушку только что показали. Издалека. Неживую... В вашем районе. Произошло, сказали, в семь утра.

— Люба, такие вещи показывают каждый день. Почему ты позвонила мне?

— Лица было не рассмотреть... Пальто на ней такое, какое вы Элизе в Италии купили. Ну, очень похожее. И сапоги тоже. Сказали: если кому-то известно, кто-то пропал, кто-то узнал, в общем, как всегда... Телефон написан. Для сообщений.

Галина резко разъединилась и набрала номер дочери. Ждала долго. Телефон не отвечал. Лиза часто не отвечала на звонки. Галина не чувствовала особенного беспокойства. Игорь обычно привозит Лизу домой. С какой стати она могла бы оказаться одна, да еще так рано? Пальто на ней — не какой-то эксклюзив, оно недорогое. Они купили его в обычном магазине. Лизе понравился цвет, он ей очень шел, там капюшон с искусственной опушкой, а она не носит натуральный мех. То есть такие пальто могут быть не у одной девушки.

Вновь позвонила Люба.

— Ну, что? Ты ей звонила?

— Она не берет трубку. Она часто так делает. Люба, таких пальто может быть много, как ты не понимаешь?!

— А в каком платье она поехала к Игорю?

— В том бордовом, в котором была на моем дне рождения, помнишь?

— Помню. Галя, включи телевизор. Передачу «Криминал». Там это объявление передают время от времени. Девушка в бордовом платье. И терракотовом пальто с капюшоном. Невысокая, полноватая... Я уверена, что это не Лиза, но... Господи боже мой. Думаешь, мне легко тебе это говорить? Надо узнать, что все в порядке, вот и все.

Евгения Михайлова

Галина позвонила подруге через сорок минут. Голос ее дрожал.

— Я посмотрела. Люба, там что-то ужасное вместо лица, но все остальное очень похоже. Ее телефон не отвечает. Я дозвонилась до Игоря, он сказал, что она уехала от него на такси в шесть утра. Сказала, что ей нужно учебник почитать перед экзаменом. Я забыла, что у нее сегодня экзамен. Убитую девушку нашли в нашем сквере. Что это, Люба?

— Пока просто ничего. Ты сама сказала: каждый день какие-то ужастики передают. И пальто таких может быть много, и платьев бордовых полно. И по вашему скверу ходит много людей. Просто нужно звонить по этому телефону... Почему ты молчишь? Ты меня слышишь?

— Да. Я боюсь.

Глава 5

Сергей позвонил Масленникову, тот сказал, что как раз подходит к квартире. Он вошел в открытую дверь через три минуты, вежливо поздоровался с хозяином квартиры, которым, по всей вероятности, был симпатичный, наверное, в другой ситуации парень, но сейчас у него было лицо, бледное до синевы, расширенные глаза и зрачки, запекшиеся губы, он сжимал явно дрожащие руки. Плохо так нервничать перед следователями.

— Это Артем Васильев, — сказал Сергей. — Мы пришли просто по следам этих ботинок. Дик привел.

Ближе этих отпечатков у тела тоже не было. Остальные затоптаны уже или обрываются, видно, у машин. И человек в таких ботинках не просто шел мимо. Он там как минимум стоял — до убийства или после.

— Мог посмотреть и просто уйти, решив не звонить никуда. Так часто делают. В любом случае Артем мог знать эту девушку, сквер практически рядом с его домом. Вы ему фото показывали?

— Да нет, не успели. Он немного нездоров вроде. Пусть придет в себя. Мы пока поработаем. Снимки Вася недавно распечатал. Отвез на ТВ, сделали в щадящем ракурсе, звонков нет.

— Да, Артем, — сказал Александр Васильевич. — Вид у вас неважный. Надеюсь, Сережа вам объяснил, что это первые попытки что-то найти, узнать по горячим следам. И до результата очень далеко. Вы бы пока пошли на кухню и выпили горячего сладкого чая, станет легче. Сережа, я так понял, ты в пакет засунул ботинки Артема?

— Говорю же: мы по их следам и пришли.

— Таких ботинок сейчас очень много. А человека можно насмерть перепугать. И потом, может, у него других и нет. Раз я здесь, я все, что нужно, сделаю сейчас. Тащить их в лабораторию не нужно. Для дела достаточно фото. Артем, не вздрагивайте. Фото ботинок, а не вас, и только в качестве подтверждения проведенных следственных действий. Пейте чай. Приходите в себя, нам ведь надо поговорить. Вдруг вы узнаете девушку на фото?

Когда Артем вышел, Масленников тихо сказал:

— Я потом возьму у него анализ крови. Он не столько испугался, сколько под дозой, мне кажется.

Пока Масленников снимал отпечатки и соскобы с ботинок, ребята осмотрели поверхностно спальню, Сергей взял с тумбочки мобильник и перегнал к себе контакты. Масленников занялся единственной курткой на вешалке, которая могла принадлежать Артему. Остальные молча и целенаправленно вошли в ванную. Если человек вернулся домой утром, то он где-то должен был раздеться. Сейчас на Артеме явно свежепостиранная футболка. Где-то должна быть вчерашняя одежда. Бак с грязным бельем, стиральная машина... Сергей достал из бака несколько маек и флисовую кофту с капюшоном. Воспользовался своим нюхом борзой и выбрал одну майку и эту кофту. Он поймал легкий запах дезодоранта и пота. Свежее сочетание сегодняшней ночи. И на майке, и на кофте пятна. Похоже, посидел в какой-то компании за столом. Вошел Масленников, Сергей протянул ему вещи. Тот очень внимательно осмотрел и сказал:

— А это придется все-таки изымать и проверять в лаборатории. Куртку тоже. На этой кофте на манжетах кровь. На куртке — в разных местах. Возможно, его кровь: неаккуратно кололся или с кем-то дрался. Возможно, того, с кем дрался. Многое возможно. Сережа, ты что-то успел узнать об этом парне?

— Ну, так, по дороге, у соседки. Я сказал, что мы из фирмы, в которую он прислал резюме. Она сообщила все, что могла. Семья приличная, живут по средствам, то есть бедно, мать вроде из рода какого-то декабриста, они с отцом — ученые, Артем учится в институте, в свободное время подрабатывает курьером. Иногда встречается с женщинами. Тут она собиралась завестись надолго, но пришлось прервать. Слишком интересно.

— Легкомысленная соседка. Вряд ли есть фирмы, которые ходят по резюме.

— Вообще-то ходят, особенно левые. Но соседке это было глубоко фиолетово. Я мог бы сказать, что мы гуманоиды. И хотел. У нее на лбу такое любопытство написано: он из тех, кто выходит всех цеплять.

— Подробная характеристика. Видно, соседка семью действительно знает. А ведь если бы парень был алкоголик или наркоман, то соседка в первую очередь сообщила бы об этом. Ладно. Пойду к нему, возьму анализ крови, потом показывай, Сережа, ему фото. Орудия убийства не нашли?

— Что значит — не нашли, — невозмутимо сказал Сергей. — Оно в машине. Из мусорного бака. Рядом с этим домом. Литая металлическая палка с резиновым набалдашником. На ней плохие пятна. Кровь, мозг, видимо. Все достаточно свежее. Тоже Дик нашел.

— Ничего себе дела у вас пошли! Один совет — не слишком увлекайся, Сережа. Пока результата нет. А с парнем не передавить бы. Если он после дозы, то мало ли что... Все воспринимает гипертрофированно.

— Спасибо за совет, — вежливо ответил Сергей. — Я ищу убийцу, а не собираюсь организовать суицид. Уж как-нибудь придется душевно сотрудничать.

— Люблю твой пафос, но у нас пока нет убийцы.

— Нет — так сделаем, — просиял своей голливудской улыбкой Сергей. — Что нам стоит, фальсификаторам и живодерам?!

— Хорошо, — кивнул Александр Васильевич. — Хорошо, когда хоть один человек весел в такой ситуации.

Александр Васильевич немного побыл с Артемом на кухне. Спросил у него, не дрался ли он с кем-то этой ночью. Тот ответил, что не помнит такого.

— Может, падали? — спросил эксперт. — На ваших вещах следы крови.

— Может, и падал. Я выпил, было скользко. Мы с друзьями в пивной посидели.

— Что пили?

— Там только пиво...

— Вы пили не только пиво. Или не пили. Можно посмотреть руки?

У Артема были вены здорового человека, который никогда не кололся. Но есть другие части тела, можно нюхать, можно чего-то такого глотнуть. Артем не то чтобы совсем успокоился, он стал совершенно равнодушным. Ему хотелось только одного: чтобы эти люди поскорее ушли. Он сам был уверен, что у него грипп. Температура оказалась нормальной. Он спокойно протянул руку, чтобы Масленников взял анализ крови. Даже сказал, что уверен, что это его кровь на вещах. У него слабые сосуды, часто идет кровь из носа, режется при бритье. У кого-то и царапины нет, а у него брызги во все стороны. Он как

27

будто забыл, из-за чего к нему пришли. И отпечатки пальцев у него взяли спокойно.

Когда Сергей положил перед ним фотографию убитой девушки, он опять побледнел. Но взял снимок в руки и смотрел очень внимательно.

— Из-за этого лица я не могу сосредоточиться. Но я уверен, что не знаю эту девушку. Она просто одета, как моя бывшая одноклассница.

— Кто именно?

— Элиза Никитина. Но с ней точно все в порядке. Я видел, как пару дней назад она уехала со своим мужчиной. Она вообще практически не ходит пешком. Во всяком случае, я такое очень редко вижу.

— У тебя есть ее телефон?

— Видимо, нет. То есть она мне давала давно. С тех пор, наверное, сто раз поменяла номер.

— Прошу прощения, — сказал Сергей. — Какие-то отношения были? Когда-нибудь?

— Нет. Никаких.

— Она тебе нравится?

— Чем вызван такой вопрос?

— Одежду ее знаешь, когда с мужчиной уехала, ходит ли пешком...

— Она всем нравится. Даже Бетховену, — не улыбнувшись, сказал Артем.

— Да, «К Элизе». Я тоже ходил в музыкальную школу. Но у меня не было такого шикарного рояля. Здорово играешь?

— Совсем не здорово. И давно не играю. «К Элизе» могу одной рукой.

— Пытался ухаживать за Элизой Никитиной?

— Нет. — Тут Артем улыбнулся. — В этой очереди я никогда не стоял.

В машине Сергей меланхолично спросил у Масленникова:

— Мы не видим у Артема мотива, а?

— Сережа, о чем ты? Вы говорили о его однокласснице, которая, как он уверен, жива. Он не узнал ее на фото. Вел себя спокойно, допускает, что на одежде его кровь. Собственно, ничего другого и не допускает. Конечно, придется убедиться в том, что с Элизой Никитиной все в порядке, но жертва пока не опознана.

— Это понятно. Я к тому, что он на эту одноклассницу вроде бы запал. А его даже в очередь не поставили. Если ревность, если под дозой увидел девушку в похожей одежде и... просто свихнулся?

— Но такой палки у него точно быть не могло.

— Вырвал у какого-то прохожего, к примеру. Ну, тут я вообще проблемы не вижу.

— Проблема лишь в том, что мы везем, скорее всего, не улики против Артема Васильева, а их отсутствие.

— Следы привели к этой квартире. Вы же подтвердили, что это именно его следы.

— Он мог проходить мимо. Но утром он был совсем в плохом состоянии. Мог остановиться и ничего не понять. Ямщик, не гони лошадей!

— Этот совет мне нравится. Вижу, мы сейчас влупимся в такую милую пробку. Я посплю, с вашего разрешения. Я пришел к выводу, что это полезнее, чем материться.

Глава 6

Виталий Никитин сидел в своем кабинете за большим офисным столом из дорогого дерева. Все на этом столе было электроникой последних версий, все было идеально приспособлено для его работы и радовало глаз. Вошла секретарша с серебряным подносом, на котором стояла кружка с горячим кофе, соленые орешки, сливки. Виталий взял у нее из рук поднос, ласково улыбнулся. Когда она шла к двери, он взглядом коллекционера внимательно смотрел на ее фигуру. Не Венера, но складная, аккуратная, хорошо причесанная и ходит по-человечески, ничем не виляя, и ноги не заплетаются в попытках ходить от бедра. Он знал, что у него с этой девушкой будет дальше, исходя из этого, и выбирал ее, уволив предыдущую. Виталий не видел в этом ничего плохого. Насиловать он никого не собирается. Просто мужчины и женщины должны дарить друг другу радость. И тот факт, что особой, безумной радости он как-то и не словил в этих своих регулярных попытках, не говорит о том, что к этому не стоит стремиться. Жизнь так коротка...

Позвонил телефон, он взглянул на дисплей и удивился. Галя почти никогда не звонила ему на работу. Он даже не помнит, чтобы звонила. Она считала, что все домашние, семейные вопросы должна решать сама, не отрывая его от дела. Но если, к примеру, заболела Лиза... То и в этом случае она не звонила. Но дочь, кажется, серьезно и не болела никогда. Неужели... Сейчас многие попадают в аварии. Ни о чем другом, кроме Лизы, Виталий и не мог подумать. Галя не позвонила бы, если бы заболела сама.

— Я слушаю, дорогая.

— Извини, Виталик, я не помешала?

— Нет, все нормально. Кофе решил выпить. У тебя голос странный. Ничего не случилось?

— Да нет, ничего... Я не знаю. Я даже не знаю, как тебе сказать.

— Галя, что с тобой? Ты всегда знаешь, что и как сказать. Пожалуйста, скажи и сейчас все — информацию в полном объеме. Только такой разговор имеет смысл.

— Конечно. В общем, ты знаешь, что Лиза поехала к Игорю. Когда вернется, точно не сказала. И вдруг мне недавно позвонила Люба и говорит... В общем, программа «Криминал» дает объявление об убитой девушке. В нашем сквере. В семь утра. Показывают ее издалека. Рассмотреть трудно, но...

— Какое «но»?! — Виталий, умом понимая, что этого вроде бы не может быть, был почти в панике и с трудом это скрывал.

— Девушка одета в такое пальто и платье, какие были на Лизе. Я понимаю, что таких может быть много, но девушка тоже невысокая и полноватая. Так сказали. Да, и сапоги похожие.

— О чем ты говоришь! Ты видела ее по телевизору и не можешь сказать, что... это не Лиза?

— Лицо... Его невозможно рассмотреть.

— Но ты звонила им?

— Конечно. Игорь сказал, что у нее сегодня экзамен, она не готова и уехала от него на такси в шесть утра. Дома ее не было.

— Это какое-то чудовищное совпадение. Я сейчас найду эту передачу. Там есть какие-то телефоны?

— Да. Запиши.

— Ты не звонила?

— Не смогла.

— Я позвоню. Уверен, что все это какой-то бред. Мне давно казалось, что Игорь раздражает Лизу, уехать на такси в шесть утра она не могла из-за экзамена. Ты сама-то веришь в эту причину? А у нее точно сегодня экзамен?

— Сейчас я уже ни в чем не уверена, но мне кажется, что да. Позвонить — проверить, — я не в состоянии.

— Не нужно. Это не так важно. Даже если сегодня, ее там может еще не быть. Принимают до вечера. Возникла, скорее всего, ссора, она вспылила, и, возможно, за ней заехал кто-то другой. Ты знаешь, она иногда так поступает, когда собирается поставить точку. Не оставлять надежды. Если бы дело было в экзамене, она позвонила бы мне, чтобы я прислал водителя. Но Лиза не встанет просто так в шесть утра!

— Вот ты так все разложил, мне кажется, так и есть. Говорю с Любой — меня трясет от страха.

— Ты просто душечка, моя дорогая. Внушаемая. Да, я уверен, что все скоро выяснится. Конечно, плохо, что дочь не просто не приучена звонить нам время от времени, но и приобрела дурную привычку — не отвечать на звонки.

Евгения Михайлова

— Ты меня упрекаешь?

— Да нет, что ты. У Лизы такой характер, что приучить себя к какому-то режиму могла только она сама. Девочка сильнее и тебя, и меня. С ней ничего не могло...

— Ты не позвонишь по тому телефону? — прервала Галина.

— Разумеется, позвоню, предварительно посмотрю это объявление. Если они так часто его показывают, наверняка уже кто-то ее узнал... Просто интересно, нашлись ли родственники несчастной.

— Я буду ждать, — сказала Галина, разъединилась и застыла, глядя на телефон. Ждать она умела. И мужа, и дочь.

Она сидела и думала, сколько лет ее жизни уходит на ожидание? Каждый день несколько часов — точно. Она дождется и сейчас. Все прояснится. Разговор с мужем ее почти успокоил.

Глава 7

Звонок от Виталия раздался примерно через час.

— Извини, дорогая, что так долго, — небрежно сказал он. — Там два телефона, оба постоянно заняты. Но я дозвонился.

— Столько людей звонят по поводу этой девушки?

— Нет конечно. Им звонят по разным поводам. Но и по поводу девушки звонят... немало.

— Виталий, не тяни. Девушку опознали близкие?

— Пока нет. Собственно, доехать успели несколько человек, звонков больше, время назначают сле-

33

дователь и эксперт, еще продолжают звонить. Представляешь, так много девушек носят такие платья и пальто...

— Ты спросил: все девушки имеют отношение к нашему району?

— Спросил. Нет конечно. Девушки часто ездят в гости к приятелям, подругам, на вечеринки...

— Было утро...

— Вечеринки кончаются утром.

— А те, которые смотрели... Они что сказали?

— Платье не того фасона, пальто на другой подкладке, другой размер обуви, не те сережки... Ну, ты понимаешь, родинки, другие подробности, зачем мне тебе это перечислять. Одна девушка, кстати, позвонила матери прямо в морг. Мать потеряла сознание. Такие они, девушки. Не то на уме. Как я понял, Лиза не появилась и не звонила? — постарался как можно легче спросить Виталий.

— Удивительная понятливость, — убито ответила Галина. — Что мы делаем?

— Детка, мы тоже едем. Как все эти люди, мы едем убедиться в том, что это не наша дочь.

Через час Виталий заехал за Галиной, и они поехали в морг, не веря самим себе, что это происходит с ними. Они молчали. Галя несколько раз доставала телефон, но не звонила.

— Правильно, — наконец произнес Виталий. — Что ты будешь ей названивать, себя накручивать? Нас ждут следователь и эксперт, мы будем на месте через полчаса. Я же сказал: одна умница уже позвонила маме прямо в морг. Ты понимаешь, у всех этих девушек, родные которых так переволновались, как и у нашей Лизы, есть смягчающее обстоятельство: они понятия не имеют о том, что по ТВ прошел такой сюжет.

— Да, конечно, — сухо ответила Галина. — Чувствуется, что ты пообщался со следователем. У тебя появились юридические термины: «смягчающие обстоятельства». Я бы хотела, чтобы этот день наконец закончился. Это самый плохой день в моей жизни!

Виталий внимательно взглянул на жену. Он сразу подумал о том, что другие плохие дни в ее жизни были связаны с ним. И он, бывало, по несколько дней не отвечал на звонки жены, чтобы не портить настроения другой женщине. Но это, конечно, совсем не то. Галина хорошо ориентируется в их круге знакомых, «сарафанное радио» наверняка держит ее в курсе, где он и с кем. Сейчас, конечно, все совсем иначе. Хотя они бы нисколько не беспокоились, если бы не эта информация. Лиза бывала у Игоря по несколько дней. Могла быть и неделю. Он — человек неконтактный, даже замкнутый, она с ним тоже старается лишний раз не звонить. А зачем? Она не любит пустых разговоров. Просто этот его странный ответ: «Она взяла такси в шесть утра». Ну, допустим. Ну, проснулась и решила уехать, как выяснилось, вовсе не домой и не в институт. Для нее характерны такие поступки. Но он что: совсем дурак? Не мог тоже один раз встать в шесть утра и отвезти свою девушку? Ответа два. Первый — Игорь действительно дурак, Виталий никогда в этом не сомневался и был уверен, что очень скоро Лиза примет решение и бросит его. Второй — Игорь ни при чем. Лиза не дала ему такой возможности по той причине, что уезжала от него навсегда. Но все так ужасно совпало. Платье, пальто... Виталий никогда не отличит их от других подобных. Галя наверняка сможет.

— Ты в порядке, дорогая? — спросил он. — Мы приехали, нужно морально собраться.

— Да, конечно, — ровно ответила Галина. — В порядке.

Они припарковались во дворе. Сергей Кольцов подошел к машине, подал Галине руку, когда она выходила, представился.

— Ее уже узнали? — быстро спросила Галя.

— Нет, — коротко ответил Сергей. — Не все звонившие приехали.

Виталий подошел, протянул Сергею руку и почувствовал, что не получается улыбнуться. Скорее бы закончился этот бред!

— Пойдемте, — сказал он Сергею. — Надеюсь, все сейчас прояснится. Для нас, я имею в виду.

— Да, буду рад, — сказал Сергей. — Александр Васильевич, эксперт, нас ждет.

— Вы что-то узнали? — спросил по пути Виталий.

— Как сказать? Есть один подозреваемый. Но никаких подтвержденных улик нет. Все в работе.

— Кто, не секрет?

— Пока секрет, прошу прощения. Говорю же: улики не проверены. Не называю еще и потому, что вы его наверняка знаете. И у нас может быть любое количество таких подозреваемых, поскольку следствие работает в вашем районе, где и был найден труп.

— Понятно, — сказал Виталий и впервые в жизни почувствовал бурный гнев по отношению к дочери. Как она могла так эгоистично поступить с ними: просто прервать связь. Она, конечно, не знает, что произошло. Но это не оправдание на самом деле. Это он просто Галю так пытался успокоить. А Элиза — взрослый человек и должна знать, что такие вещи случаются. И должна считаться с чувствами близких.

Эксперт встретил их на пороге морга. Он был в халате, со спущенной марлевой повязкой, в хирургических перчатках. Он просто им кивнул и проводил в раздевалку, где им выдали халаты, повязки, бахилы. Они вошли в анатомический зал, он снял простыню с тела на каталке.

— Лицо пока прикрыто. Одежду не снимали. По ней уже несколько раз людям было ясно, что это не их дочь, родственнница... Потом девушки объявлялись. Если все очень похоже, тогда... Нужен подробный осмотр.

Виталий крепко сжал локоть Галины и подтолкнул ее вперед.

— Смотри ты. Мне вообще кажется, что я не видел ни этого пальто, ни этого платья.

Галя быстро и уверенно подняла полу пальто. Она внимательно рассматривала подкладку. Затем провела рукой по глубокому вырезу платья.

— Ты видел это пальто. И это платье ты видел, — произнесла она громко. — Лиза это часто надевала.

Да, такие пальто могут быть у многих, но мы выбирали с необычной шелковой подкладкой цвета чайной розы. Это не очень удобно: нужно постоянно чистить, — но очень красиво. И нам однажды вернули из химчистки с дырочкой рядом со швом. Видно, за что-то зацепился тонкий шелк. Лиза так расстроилась почему-то... Я знала, что она не будет носить одежду с дыркой. Сказала: «Ну, бог с ним. Купим другое». Но она чуть не расплакалась. И я сама, руками, это зашила. Купила шелковые нитки точно такого цвета. Виталик! Ты меня понимаешь? Ты видишь, что здесь ручная строчка?

— Нет конечно, — пробормотал Виталий. — Я ничего не вижу, я в этом ничего не понимаю. Даже если все так, как ты говоришь, это могло случиться еще с кем-то. Раз такой тонкий шелк...

— Да, могло, — ровно согласилась Галя. — Хотя теперь это легко проверить, потому что мои нитки остались дома, и эксперт определит... Каждая женщина руками шьет своим почерком, так сказать. И еще. Мы к этому платью, вроде бы совсем обычному, заказывали на отделку выреза кружева ручной работы. Такого же цвета. Это молодежный, дизайнерский магазин, у них есть такие услуги. Эта отделка едва ли не дороже всего платья. Посмотри, какое кружево... Именно оно уникальная работа. Тоже: раз ручная работа, почерк мастера. Импровизация. Она мне говорила, что никогда не повторяется.

Виталий с ужасом смотрел на лицо жены. Ее губы как будто высохли, глаза застыли на пол-лица. Значит, кошмар только начинается...

— Мне кажется, вам нужно отдохнуть и успокоиться, — вмешался Масленников. — Вы сейчас поедете домой, с вами наш сотрудник, который возьмет нитки. Все может быть совпадением.

— Да нет же! — воскликнула Галина. — Теперь я должна осмотреть свою дочь как следует. Я вижу ее сапоги, это ее ножки... Вы ведь ничего не трогали, да?

— Да.

— Я знаю все ее белье. Кто-то мне что-то говорил про родинки. Ты, наверное, Виталий. Так вот: у Элизы нет ни одной. Я думаю, что таких людей очень мало.

— Это так, — сказал Масленников.

— Уйдите, — потребовала Галина. — Оставьте меня с ней.

Мужчины вышли. В предбаннике Виталий почти упал на стул. Он не мог ни о чем думать. Какое-то время он чувствовал себя как под заморозкой, а потом вдруг резкая боль растеклась по груди, левому плечу, руке... Он застонал. Масленников быстро взглянул на него и побежал в кабинет. Вернулся с двумя наполненными шприцами.

— Не надо, — невнятно проговорил Виталий. — Я никогда не болею. И сердце... в первый раз. Просто не привык.

— Надо, — сказал Масленников, помогая ему снять халат и пиджак. — Это так и начинается у тех, у кого никогда...

— Что это?

— Инфаркт. Точнее, предынфарктное состояние. Мы сейчас с ним справимся.

Он уложил Виталия на диванчик, сделал инъекции, проверил пульс и давление. Потом налил в мензурку немного коньяка из своего безразмерного портфеля. Боль прошла. Сердце как будто улеглось удобнее. Виталий сел.

— Почему ее так долго нет?

— Сейчас Сережа посмотрит, — сказал Масленников.

— Да, мой генерал, — тоскливо произнес Кольцов и пошел туда, где разворачивалась трагедия, которая ему так не нравилась. Там мать, которая сначала спокойно смотрела на чужой как будто труп, теперь узнает в нем свою дочь. Явно очень любимую. Что он ей скажет? «Мы найдем убийцу»? Но ей нужна живая дочь, а не убийца. «Наша работа — без результата», — обреченно подумал Сергей и открыл дверь.

Глава 8

Прошло еще немало времени, пока они вдвоем вышли: Галина и Сергей. Виталий и Масленников пристально смотрели на лицо Галины. Они оба заметили, что она уже не такая бледная, на скулах появились даже темно-розовые пятна. Глаза блестели. Она была очень возбуждена! Сергей заговорил первый:

— Ситуация не прояснилась, она, скорее, усложнилась. Для нас. Ничего более странного я еще не встречал. Но, Виталий, ваша жена не опознала Элизу в покойной девушке, хотя вещи на ней, по ее мнению, точно принадлежат вашей дочери. И девушка очень похожа.

— Я сама скажу, — взволнованно перебила Галина. — Это точно пальто и платье Лизы. В кармане пальто носовой платок и перчатки. Платки — крепдешин с ручной вышивкой, мы купили их много. Они лежат в ее шкафу. Можете взять для сравнения. Перчатки из тонкой кожи мы тоже не так давно купили шесть пар: разных цветов. Одна фирма, не перепутаешь.

— Да, это все можно уточнить, — сказал Сергей.

— Но такая странная вещь. На этой девушке полукорсет с резинками для чулок. Мы такие заказываем у одного мастера. Это точно Лизин. Она всегда капельку своих духов капала на грудь, между чашечками бюстгальтера. Запах сохранился. Это французские селективные духи. Passage d'Enfer. «Дорога в ад». Да, такое название, не смотрите на меня так.

— Что это за духи? Что такое «селективные»? — спросил Сергей.

— Они еще называются «нишевыми». Очень элитные, но нераскрученные. Выпускаются малыми партиями. О них мало кто знает. Продаются в редких магазинах.

— И вас угораздило найти духи с таким названием, — произнес Виталий.

— Элизе они понравились, как все нестандартное. Поэтому сомнения в том, что вещи ее, практически отпадают. Но! Самое странное. Полукорсет с резинками есть, а чулки на подвязках! Лиза никогда не носила чулки на подвязках. Она где-то прочитала, что это вредно: могут со временем вены проступить. Вы — мужчины, — нервно сказала она. — Вы меня не понимаете, кажется. Если на девушке полукорсет, чулки пристегиваются к нему резинками. Если чулки с подвязками — это такие штуки вокруг ноги, мужчины их ловят в стрип-баре, то резинки не нужны. Это несовместимо. То есть, скорее всего, девушка надевала разные вещи, а потом поехала в чем была.

— Какой-то полный кошмар, — сказал Виталий. — Все вещи Лизы, а чулки чужие, что ли?

— Я не знаю, — ответила Галя. — Элизе часто дарили этот, как она говорила, «проститутский набор»: стринги и дорогие чулки на подвязках. Но она и стринги не носила, тоже считала вредными. А на девушке стринги. Все это новое лежит в ее шкафу в красивых коробках.

— Боже, — сказал Виталий. — Я не понимаю, Галя, чему ты обрадовалась. Ну, мне показалось, что ты как-то оживилась. Этот идиот Игорь мог ее попросить взять для сексуальных игр всю эту ерунду, раз это у нее есть.

— Да-да, мог, — ответила Галя. — Ты не даешь мне сказать главного. Это не Лиза! Вещи ее, даже чулки и стринги могут оказаться ее, но это другая девушка. У Лизы очень ровные ножки, у этой в бедрах немного искривленные. И у нее есть родинки! Одна очень крупная, выпуклая на левой груди. Я многое могу сказать. У девушки другой формы руки, шершавые локти: витаминов не хватало. У Лизы округлые колени, у этой более острые. И под одной коленкой заметный старый шрам. Это не Лиза!

— Мы поняли вас, Галина, — заключил Масленников. — Этот вопрос мы окончательно закроем, когда возьмем у вас кровь для генетической экспертизы. Понятно, что мать не может ошибиться, но ситуация настолько непонятная даже для нас, что мы просто обязаны проверить то, что вы говорите. У меня и версии пока нет. Кто-то из ребят подъедет с вами, возьмет какие-то нестираные вещи Элизы, щетку для волос, зубную... В общем, нужно убедиться в том, что вы правы: вещи Элизы, но это не она. Мы сделаем все быстро. Но, Сережа, Элизу нужно искать, если она в ближайшее время не появится. Ситуация с одеждой, с тем, что подбиралась явно очень похожая девушка, — это не банальное и не случайное убийство из-за сумки.

— Что вы этим хотите сказать? — тревожно спросила Галина. — И вы все еще не уверены, что там — не Элиза?

— Ничего, кроме того, что уже сказали вы, — ответил Масленников. — По поводу трупа. Мы просто должны проверить ваши слова. И зафиксировать результат. Для нас вы пристрастный свидетель в стрессовом состоянии.

— Я сама хочу, чтобы вы мне показали документы, где написано, что это — не Лиза. Мне что-то могло показаться, что-то не могло не измениться. Но если все подтвердится, то почему Лизу нужно срочно искать вам? О чем вы говорите?

— Убитую девушку, возможно, кто-то хотел выдать за Элизу.

— Зачем?

— Знаете, — сказал Сергей, — иногда следствие именно на такой простой вопрос ответить не может вообще. Слишком много тараканов у людей в головах. Возможно, Лизу нужно было на время просто скрыть, может, ей кто-то угрожал. Она попросила похожую девушку доехать до ее дома. Вот просто говорю от балды, поскольку гадать пока не имеет смысла. Надо действительно проверять.

— Сережа, — заметил Масленников, — эта девушка, которую Элиза могла попросить доехать до своего дома, чтобы сбить кого-то с толку, могла остаться в своем белье.

— Ну, мы еще ничего не проверили. И один мастер обслуживает не одну клиентку, и самыми редкими духами пользуется не одна девушка.

— Ваша версия исключена, — жестко сказал Виталий. — Лиза никогда не подставила бы другого человека. И она никогда не унизится до того, чтобы прятаться.

— Это так, — подавленно произнесла Галина. — Я начинаю думать, что с Лизой что-то случилось. Что таким образом просто путают следствие.

— Почему вы не допускаете элементарных вариантов? — спросил Сергей. — Что Элиза просто поучаствовала в какой-то игре, интриге. Как ей казалось. Она могла не знать, чем это закончится. А, возможно, дело было как раз в том, чтобы убить другую девушку, сделав ее похожей на Элизу. Разобраться в этом, не взяв в разработку Игоря Сечкина и его компании, вряд ли возможно. Там что-то произошло. В любом случае. Мы можем там даже найти Элизу.

— В каком смысле? — воскликнула Галина. — Мертвую?

— Почему... Она может отсыпаться, лежать в халате и смотреть кино. Она может не знать, что произошло.

— Как это возможно? — спросил Виталий.

— Допустим, ей подсыпали снотворное. Но пока это пустой разговор. Адрес Сечкина я уже пробил. Мы едем без предупреждения, разумеется. Вы остаетесь здесь для экспертизы. Потом наш парень заедет с вами домой взять какие-то вещи Элизы. А потом... Не исключаю, что мы привезем вам вашу дочь в другой одежде. И никуда она в шесть утра не уезжала от Сечкина.

— Ее телефон уже заблокирован, — глухо сказала Галина. — Его тоже.

— Бывает, — ответил Сергей.

Глава 9

Артем чувствовал себя ужасно. Он сидел в казенных кабинетах, у него взяли анализ крови и отпечатки пальцев. Ему задавали, наверное, опасные вопросы, в них был подвох, а он не был в состоянии собраться с мыслями. Он сам как будто со стороны все это слушал и понимал, что отвечать следует информативно и бесстрастно. Он видел и чувствовал, что этим его постоянным «я не помню» никто не верит. Если бы он знал, что за ним придут, если бы ему не было так плохо, он бы подготовился. Он бы отвечал четко и уверенно, так что об эти ответы разбились бы все их подозрения. Он никогда не был в такой ситуации, но понял уже, что этим людям нужно говорить правильную неправду. Что-то очень стереотипное. Любая реальная подробность выводит их на ряд уточнений. В результате получается, что он то ли что-то скрывает, то ли оправдывается, а это деморализует его и все больше настораживает их.

А потом принесли результаты лабораторных исследований, и Артем понял, что ему не спастись. Отпечатки его ботинок были сфотографированы рядом с телом убитой девушки. На металлической тяжелой палке была ее кровь и его отпечатки пальцев. На его одежде была именно ее кровь. Он должен был все это объяснить, но он не мог. И тогда они показали результат еще одной экспертизы. На пластмассовых поверхностях их домашнего туалета был кокаин. Они сказали, что это не смывается. Спрашивали, как давно он его нюхает, было ли это в ту ночь. Да, он иногда это делал. Но ему никогда не было так плохо, как этим утром и днем. Он так и сказал.

Усталый парень, которого все называли Васей, спокойно сказал:

— Рано или поздно всегда случается передоз, если начинаешь нюхать и колоться. Вот отсюда все твои «не помню». Теперь я тебе верю. Только убийство под дозой стоит столько же, сколько убийство без нее. Ты дашь сейчас подписку о невыезде, тебя отвезут домой, чтобы ты отоспался, а завтра за тобой приедут, и говорить ты будешь с нашим руководителем Сергеем Александровичем Кольцовым. Ответить надо будет на такие вопросы: где ты был ночью, случайно ли встретил девушку, которая предположительно является Элизой Никитиной, или знал, что она в это время пойдет по скверу. Ну, и самое главное: что ты к ней испытывал в нормальном состоянии, была ли ревность, ненависть, желание убить.

— Я не помню, кого я встречал, откуда приехал, но я не убивал Лизу.

— Когда проспишься, поймешь, что возможен только один вариант: либо ты точно знаешь, что не убивал ее, либо ты ничего не помнишь. Что такое «прямые улики», думаю, ты понимаешь уже сейчас, в таком состоянии. В общем, пока на выход. Домой отвезут, присмотрят за тем, чтобы не пытался сбежать. Родителям лучше обо всем сообщить, поскольку нам по-любому придется с ними говорить.

Артем вошел в квартиру, прошел в свою комнату в ботинках и куртке и упал на кровать. Он хотел только одного — провалиться в сон.

Первой с работы вернулась Ирина, его мать. Она вошла в его комнату и остановилась у кровати, глядя на него с ужасом. Она знала, что Артем может выпить в компании, ей иногда казалось, что он пробовал наркотики, но это сейчас не редкость, и особых проблем у них не было. Мог вернуться под утро или утром, как сегодня, мог потом спать до полудня, а дальше все было как обычно. Он вставал, принимал душ, ел, пил кофе, сидел за компьютером, занимался, чаще всего после таких вечеринок в институт не ездил. Был спокойным, здоровым, контактным. Что с ним происходит сейчас? Прошел целый день. Куда он ездил или ходил? Почему лежит в верхней одежде?

Может, у него грипп, пневмония? Он как-то хрипло, неровно дышит. Ирина потрясла сына за плечо. Хрип или храп прекратился. Но Артем по-прежнему лежал лицом вниз.

— Тема, — позвала сына Ирина. — Ты не спишь? Что с тобой?

Он повернулся на спину. Бледное лицо. Синевато-багровые тени под глазами.

— Ты заболел! Я вызываю врача!

— Мама, подожди. Не суетись. Может, я и заболел. Но это не самая большая сейчас проблема. Меня возили в полицию. У них получается, что я убил Лизу Никитину.

— Ты бредишь! Лиза убита?

— Как будто да.

— Что значит — как будто?

— Мне так сказали. Они нашли меня по отпечаткам ботинок. Ее убили рано утром в нашем сквере. Мама, у них все совпало уже! Мои отпечатки пальцев на какой-то палке, ее кровь на моей синей куртке, что-то еще... Анализы брали, экспертиза...

— Артем, — присела Ирина на кровать, потому что ноги у нее стали ватными. — Может, тебе все это вообще приснилось? Извини, но ты или что-то выпил, или принимал ночью. Я шла от метро, встречала соседей, мне никто ничего не говорил, что у Никитиных несчастье. Такие вещи быстро распространяются.

— Не приснилось. Они меня забрали. Там у меня брали кровь и отпечатки пальцев. Вот, посмотри, — Артем сел, снял куртку, поднял рукав футболки. — Я дал подписку о невыезде, завтра за мной приедут, чтобы я там все вспомнил. А я не могу. В голове темно.

— Ты видел Элизу... убитой?

— Только на фотке. Я не понял, кто это. Пальто похожее.

Ирина взяла руку сына, прижала к губам.

— Мальчик мой, я тебя умоляю, приди в себя. Нам надо во всем разобраться. Как могла выйти такая ошибка?!

— Мам, — беспомощно сказал Артем. — Я не знаю, ошибка это или нет. Они мне не верили, наверное, но ты поверишь... Я ничего не помню! Только одно: Элиза снилась мне сегодня в этом пальто и платье.

— Так. Успокойся. Ты говоришь, ее кровь на твоей куртке. Но ты мог возвращаться, увидеть ее лежащей — раненой или убитой, — и пытаться помочь...

— Ты забыла, что они нашли какую-то палку, там ее кровь и мои отпечатки пальцев.

— Но ты же не мог! Почему ты молчишь? Ты же не мог убить Лизу, которую знаешь с детства и, как мне кажется, любишь. Ты мог спьяну поднять и эту дурацкую палку, если она лежала рядом с ней.

— А вдруг смог? — Артем закрыл глаза, а Ирина сжала руками виски.

— Нет, я вообще не могу поверить во всю эту историю. Я позвоню Никитиным.

Она решительно взяла телефон, набрала номер и постаралась говорить обычным ровным тоном, что, конечно, не получалось. Ее голос срывался, слова застывали на губах.

— Здравствуй, Галя. Узнала?

— Да, Ира, конечно.

— Я хотела узнать: у вас все в порядке? Ничего не случилось?

— Случилось. Многое случилось.

— Элиза...

— Так. Давай я тебе сразу все скажу коротко. Девушка, которую в сквере нашли убитой, не Элиза. Просто похожа. Ну, это еще будут проверять, оказывается, в таких вещах даже матери не верят, но это не она. Но на девушке Лизочкина одежда. Почему-то. И мы не знаем, где она сама. Должна была быть у Игоря, но... В общем, ее ищут. А тебе кто сказал?

— Артем.

— А ему?

— Галя, его вроде подозревают в убийстве. Какие-то улики, отпечатки, кровь...

— Ничего не понимаю. А где он? Что говорит?

— Он ничего не знает. Он ночью был в какой-то компании, перепил. За ним приехали. Показывали фотографию, он не понял, кто это. Завтра за ним опять приедут. Я не знаю, что делать.

— И я не знаю. И никто пока не знает. Ира, мне говорили, что подозреваемых по району может быть много. Проходили мимо, могли дотронуться, вариантов полно. Просто я не могу сейчас это обсуждать. Я должна увидеть заключение, в котором будет официально написано, что убитая девушка — не Лиза. Я осмотрела ее внимательно, нашла различия, хотя очень похожа, действительно. Но ты понимаешь, в каком я состоянии?! И потом — мертвый человек

50

отличается от живой девочки, конечно. Дочери. Самой себе не верю! Увидела родинку, теперь думаю, вдруг померещилось и вообще... Давай отложим разговор. Я жду звонка от Лизы. Она отключила телефон, у нее есть такая дурацкая привычка. Ее вещи как-то оказались на другой девушке, мне сказали, что я и в этом могла ошибиться. Я не могла ошибиться в обычной ситуации, но в такой... Я в смятении, конечно.

— Извини, я просто занимаю телефон. Тебе столько нужно узнать. Спасибо за то, что рассказала. Уверена, что это не Лиза.

Ирина дотронулась до руки сына и сказала:

— Ты понял? Это еще проверят, но Галина почти уверена, что убитая девушка — не Лиза.

— Что значит — почти? Она свою дочь не может узнать?

— Она считает, что это другая девушка, но одета так же. И очень похожа. Но она очень нервничает. Тема, она опознавала труп, а не живую дочку. Я не могу это развивать, но это большая разница. У Лизы не отвечает телефон, ее ищут. И Галина должна получить официальное заключение.

— Тогда выходит, что у меня на куртке кровь не Лизы?

— Получается так, если Галина права. Не знаю, что это меняет для нас.

— Для меня это меняет все. Если я по пьяни убил Элизу, то я убью себя. Если перепутал и убил другую девушку — тогда приму, что положено.

— Боже...

Глава 10

Игорь Сечкин оказался видным молодым мужчиной, с хорошей спортивной фигурой, ухоженным, с красивой стрижкой густых русых волос, привычной белозубой улыбкой. Он улыбался и после того, как посмотрел удостоверение Сергея. Светским жестом пригласил его и еще двух сотрудников в гостиную, предложил напитки.

— Спасибо, потом, — ответил Сергей хозяину дома еще более яркой улыбкой. В этом Кольцова никто еще не переплюнул.

Он непринужденно присел на крайне неудобное кресло стиля «модерн», осмотрелся. Дорогая, современная и банальная обстановка, лишенная намека на индивидуальность владельца. А девушку, судя по рассказам ее родителей, выбрал не совсем обычную. Или совсем необычную. Сергей сделал вид, что залюбовался ярким разноцветным паркетом из дорогих и разных пород дерева, и думал в это время: «Если стереть его обаятельную улыбку, получится малоприятная физиономия. Утиный нос с острым концом, тонкие губы, срезанный подбородок и глаза... Довольно красивые серые глаза, совершенно лишенные выражения. Наверное, результат долгой тренировки. Он просто ими смотрит, но больше ничего по его взгляду не определишь. У него мебельные магазины, а мог бы служить в разведке. Интересно, чем он привлек Элизу Никитину, переборчивую девушку, как сказал ее отец? Может, вот прямо сейчас мы это у него узнаем? Каким-то образом...»

— Игорь... Можно без отчества?

— Нужно! — дружелюбно улыбнулся Сечкин.

— Игорь, это, конечно, беспардонно — являться без предупреждения, но дело в том, что вы с Элизой отключили телефоны. Вас можно понять, но за это время кое-что серьезное произошло. Мы могли бы с ней поговорить?

— Вы приехали к Элизе? Странно. Это Никитины прислали полицию, чтобы найти у меня свою дочь? Но я ведь сказал Галине, что Элиза уехала. Рано утром!

— Куда?

— Она сказала, что домой, а потом в институт.

— Она не появилась ни там, ни там.

— Это моя проблема? Я предложил ее отвезти. Но она делает только то, что хочет.

— И вас нисколько не волнует то, что она не доехала туда, куда собиралась?

— Нет. Потому что она однозначно туда не собиралась. Она лгала, ее наверняка ждал другой мужчина. Я не первый, с кем она так поступает. Не понимаю, почему я должен все это говорить полиции.

— Я — начальник отдела по расследованию убийств. Неужели вы не обратили на это внимание?

Игорь расхохотался, впрочем, не слишком естественно.

— Она прогуляла экзамен, и вы решили, что я ее убил? Отлично! Идея принадлежит Виталию? Я, конечно, ему не слишком удачливый конкурент, да и в зятья не гожусь, поскольку он для дочери ищет даже не принца, а короля, но я не думал, что он может дойти до такого маразма.

— Он не доходил до него. Прошу вас успокоиться. Это мы нашли недалеко от их дома труп девушки, похожей на Элизу. Но мать ее не опознала. Вот мы и приехали узнать, может, она здесь? И вы просто сказали, что она уехала, чтобы родители вам не мешали?

— Не понимаю, зачем вы мне рассказываете эту чушь. Вы нашли труп, это ваша работа, вы должны их находить. Допустим, это правда, что Никитины опознавали его, но вам сказали, что это не Элиза. Чего вы хотите от меня?

— Каких-то объяснений, Игорь, потому что без них в этом деле не обойтись. На убитой девушке, очень похожей на Элизу, оказалась одежда Элизы. Каким образом это получилось — это и есть наш вопрос. У Элизы здесь, разумеется, может быть другая одежда, и она в ней уехала, но как ее одежда оказалась на трупе?

— Да, у Элизы здесь есть одежда. Я понятия не имею, что она надела, потому что не вставал, когда она собиралась. Все остальное, что вы говорите, кажется мне таким бредом, что я больше не желаю в нем участвовать.

— Да, наверное, это все звучит странно, но это так. Я даже понимаю ваше желание не вникать в подробности убийства чужой девушки. Но вы не могли бы пойти нам навстречу? Вы сказали, что она уехала с другим мужчиной. Вероятно, вы кого-то конкретного имеете в виду?

— Нет конечно. У нее много поклонников. Виталий может подтвердить, что она, бросая одного, иногда уезжала с другим, не сообщая об этом родителям. Точнее, сообщая, когда ей вздумается. Она и со мной уехала от брошенного любовника во Францию. Оттуда позвонила домой, наверное, через неделю. Не знаю, зачем я вам это рассказываю, просто ваш визит очень подозрителен.

— Повторяю: на убитой девушке одежда Элизы.

— С чего вы взяли?

— Так сказала ее мать.

— Галя сходит с ума от выходок дочери и измен мужа. У вас есть экспертное подтверждение, что на трупе хоть одна вещь, принадлежащая Элизе?

— Пока нет.

— То-то и оно! И не будет. Сфабриковать ничего не получится. У меня отличные адвокаты.

— Игорь, вы ошибаетесь. Мы не работаем по заказу и не готовим вам ловушки. Мы действительно ищем Элизу Никитину, потому что совершено очень странное преступление. Разрешите нам посмотреть, какие вещи Элизы у вас остались.

— Исключено. Даже не потому, что она, возможно, все забрала. Скорее всего. Но это обыск, на который вы не имеете права. У вас нет ордера, и вы никогда его не получите, потому что у вас нет никаких оснований, кроме бредней ее родителей. К сожалению, мое время истекло, я прошу вас уйти.

— Да, конечно, — легко согласился Сергей. — Может, мы не получим разрешение на обыск, может, получим, все зависит от результатов экспертизы, а не от ваших адвокатов. Вполне возможно, что нам удастся найти Элизу без вашей помощи. Но в любом случае вы — непосредственный свидетель по делу, и, если все сложится не слишком просто, вам придется давать показания.

— По какому делу? Вы нашли какой-то труп. Галина придумала, что на нем вещи Элизы. При чем тут я?

— Я сейчас подумал, — сказал, вставая, Сергей, — что мне на вашем месте и в подобных обстоятельствах хотелось бы узнать, что с любимой девушкой, даже если она меня бросила.

— На то вы — сыщик, — ответил Сечкин. — А я нормальный человек.

— На этом пока и закончим, — улыбнулся Сергей, попрощался, и они вышли из дома, сели в машину, выехали со двора.

— Охраны нет, — сказал Вася, фанат электроники. — А видеокамер до фига. Бережет себя. Наверное, и сигнализация крутая. Это к тому, что через забор просто так не полезешь. Хотя я могу и отключить. Любую.

— Ну, как он вам? — спросил Сергей.

— Козел. Врет, в позу встает. Мог бы нормально рассказать, показать, может, там все нормально. Элиза могла переодеться и у кого-то другого. Если, конечно, в морге не она, а вещи ее. Я там кое-что стырил, пока он пыхтел. Заглянул в такую шикарную вазу под зеркалом, а это оказалась мусорка. Ну, там салфетки или промокашки, как их, не знаю, были. Ими женщины помаду промокают. Ватки какие-то цветные для протирки, как я понял. А в холле щетка для волос, вся из себя золотая, но не золотая. Пластмасса. Вроде женская. Хотя у такого фраера такая своя может быть.

— Не зря съездили, — сказал Сергей. — Люблю, когда нас за идиотов считают. Пока судья даст ордер, он эти ватки, промокашки — в унитаз, а корзину помоет.

Глава 11

Эта ночь была пыткой для всех троих. Утром никто не вышел из дома. Только Артем выпил чашку приготовленного Ириной кофе. Он был очень бледным, но пришел в себя и сосредоточенно о чем-то думал. Он рано встал, помылся, оделся и лежал на кровати, явно ожидая, когда за ним приедут.

Ирина пыталась занять себя уборкой кухни, хваталась то за одно, то за другое, в результате разбила салатник, который решила помыть, порезала пальцы, с трудом сдержалась, чтобы не расплакаться. Они все не заслужили такой ужасной неприятности. Она пока даже в мыслях не называла это бедой. Все, конечно, выяснится, все пройдет, но почему это случилось с ними? Они — просто интеллигентные люди, трудно и честно живут, любят друг друга. У них хороший сын, несмотря на то, что ни ей, ни мужу Коле некогда было особенно его воспитывать. Может, что-то и упустили, но ничего криминального быть не может. Она посмотрела на мужа, который, наверное, в десятый раз за утро зашел в кухню, открыл холодильник, тут же закрыл, направился обратно — бродить по квартире.

— Коля, — сказала она ему в спину. — Ты не можешь чем-то заняться? Что-то почитать, к примеру. Это просто невыносимо: ты ходишь, как маятник, туда-сюда. Неужели нельзя взять себя в руки?! Мальчик и так нервничает. Нам нужно его поддержать, пока все это не объяснится.

— Вижу, ты очень удачно взяла себя в руки, — сказал Николай, глядя на осколки салатника в раковине и пятна крови на полу. — Может, тебе лучше почитать? Дай мне тряпку, я вытру это, а то в свете того, что случилось или не случилось, и кровь из твоей разрезанной руки выглядит как в фильме ужасов.

— Я сама вытру. Коля, ты понимаешь, в чем дело? Разумеется, Элиза найдется. Но... все равно случилось ужасное. Какая-то девушка убита, на одежде Артема именно ее кровь, а он ничего не помнит.

— Вот этого я не понимаю. Я тоже могу выпить, но чтобы забыть, убивал я кого-то или нет, — такое трудно себе представить. Понимаю, что ему никто не верит.

— Он не выпил... То есть не только выпил. Тема сказал мне одну вещь. Следователи нашли у нас в туалете следы кокаина. Он его нюхает... иногда.

— Елки, этого не хватало! Ты понимаешь, что, если человек чего-то перенюхал или наглотался, он может действовать, как в бреду?

— Я все понимаю. Я не понимаю только, зачем сейчас ты усугубляешь? Пройдет немного времени, и мы что-то узнаем. Мне даже Галина сказала, что подозреваемых по району может быть сколь угодно много. Любой мог постоять рядом, дотронуться, пытаясь помочь, взять эту дурацкую палку... Взял зачем-то Артем. Он плохо соображал. Выбросил, как мусор, в ближайший бак.

— С какой целью взять палку?

— Я не знаю! Просто посмотреть. Никто не знает, как поведет себя, увидев убитого человека... Знаешь, продолжай лучше бегать по квартире. А то войдешь сейчас в роль прокурора. Надо же, как все бывает... Это первая настоящая неприятность в нашей семье, а мне с тобой не легче, а труднее. Я с ночи боюсь, что ты как-то не так поговоришь с Артемом. А он на пределе, может в свою очередь совершить ошибку. Его еще будут допрашивать. Он же... Он вчера мне сказал, что если окажется, будто именно он убил в неадекватном состоянии Элизу, то убьет себя... Но им может сначала показаться одно, потом выяснится другое... У них версии, а над нами — просто меч. Над нашим мальчиком.

— Он так сказал??? — Николай только сейчас почувствовал тяжесть свалившейся на них беды. — Тогда надо ехать с ним и вообще глаз с него не спускать. Следствие может длиться долго, все будет то лучше, то хуже... Мы можем пропустить!

— В том-то и дело, — всхлипнула Ирина. — Конечно, это недоразумение. Но зачем им искать кого-то другого?! У него очень сложное отношение к Элизе. Он любит и ревнует постоянно. Галина считает, что убитая девушка — не Элиза, но даже она говорит, что очень легко перепутать. Она до сих пор не уверена, ждет результатов экспертизы. И эта одежда, даже если на самом деле совпадение... Понимаешь, я уверена, что Элиза найдется живой, но для нас это ничего не меняет. В такой тупик попал Артем!

— Я понимаю, — сказал Николай. — Надо искать адвоката и деньги на него. Я даже не знаю, сколько это стоит

— Много, конечно. Мы столько не найдем, даже если возьмем в долг у всего института.

— Рояль, Ира. Срочно ищи того коллекционера, который хотел его купить.

— Да, мой дорогой. — Из глаз Ирины хлынули слезы. — Я всю ночь думала о том, в чем я виновата. Мне показалось, в том, что заставила его учиться в музыкальной школе, играть на этом рояле... Я, кажется, возненавидела Бетховена и «К Элизе». Он сначала это играл часто, потому что это простая пьеса, потом он в нее влюбился. И связал это с Элизой Никитиной, в которую тоже влюбился. Мне нужно было давно согласиться продать рояль, купить ему машину. Он не мог бы пить и все такое, возил бы других девушек...

— Ир. — Николай обнял жену. — Теперь ты не усугубляй. У Темки и без машины были другие девушки. Но нравится та, которая недоступна. Она бы понравилась ему, как бы ее ни звали. Не повезло ему в любви. Но это совершенно другой вопрос. Мы начали решать его проблему. Давай я тебе руку перевяжу. Ищи покупателя, а я начну узнавать про адвокатов. Надо помогать сыну, а мы как-то расклеились. Ты только не реви, я от этого слабею и перестаю соображать.

— Я тут, — вдруг произнес с порога Артем. — Я все слышал, что вы говорили. А я... Мы после пивной были у Сеньки. Я пешком от него шел. Долго. И, мне кажется, что я встретил Лизу... Что она тоже шла. Теперь мне так кажется. Когда менты мне это внушили. А потом она уже мне снилась.

— Тогда... что же получается, раз на куртке ее кровь... — начал Николай.

— Молчи! — закричала Ирина. — Ничего пока не получается. Артем просто не может восстановить всю картину. Возможно, он ее не видел. Скорее всего! Он был нетрезв.

— И кто мне поверит... — безнадежно произнес Артем.

Глава 12

Галина и Виталий тоже не спали в эту ночь. Но утром Галина сделала все, как обычно. Приготовила тосты, сварила кофе, даже сделала быстрый салат из овощей и фруктов (состав она каждый день немного меняла), где-то прочитала, что именно с него нужно начинать завтрак.

Виталий вошел в их огромную столовую-кухню побритым, с еще влажными после душа волосами, он никогда не пользовался феном. Галя сказала ему, что это вредно для волос. Он прикоснулся губами к щеке жены, с одобрением отметил, что она тоже хорошо выглядит, просто и красиво причесана, кажется, немного подкрасилась. Совсем незаметно, просто не бледная, нет теней под глазами, отеков, губы свежие... На самом деле так не могло быть. Он точно знал, что она не спала ни минуты, потому что не спал сам. Она пару раз выходила из спальни, а когда возвращалась, он чувствовал запах сердечных капель. Она здорова, насколько ему известно, но эти капли пьют и в качестве успокоительного. Хорошо, если так. Его самого здорово прихватило там, в морге. Если бы не врач, кто знает, что бы из этого вышло... Но какая молодец Галина! Им нужно нормально позавтракать, поддержать себя и вынести все, что придется...

Но принять верное решение гораздо легче, чем выполнить его. Есть категорически не хотелось. Оба немного поковырялись в салате, сделали по паре глотков кофе. Виталий позвонил в офис, чтобы предупредить, что не придет сегодня, Галя смотрела на него умоляюще: не надо занимать телефон. Да, он переоценил ее хорошую форму, как, собственно, и свою. Легко не будет. Не стоит задавать ей вопрос, набирала ли она номер дочери. Разумеется, да, разумеется, с прежним результатом. И не дочь виновата в том, что сейчас им обоим страшно. Она вела себя так с подросткового возраста. Это был не эгоизм, не самоутверждение, а просто логика. Ее логика. Раз она не звонит, значит, у нее все в порядке, она не хочет отнимать ни у них, ни у себя время. И в этом смысле Элиза была совершенно не похожа на других девушек. У Виталия было такое впечатление, что все девушки и женщины в любой ситуации постоянно говорят по телефону. Это практически болезнь. Он часто слышал обрывки текста. Это песнь акына:

Евгения Михайлова

что вижу, то пою. Выходит молодая мама с коляской из подъезда и сразу начинает названивать. Я иду, я стою, он спит, он не спит... Ему было непонятно, кто все это выслушивает. Его радовало, что его дочь совсем не такая. Вот и платит он за эту радость. Они с Галей сходят с ума, а дочь этого не чувствует.

Когда раздался звонок, они оба вздрогнули. Виталий только поздоровался и сказал: «Да, хорошо». Разъединился и встал.

— Что? — спросила Галина.

— Кольцов просил приехать. В отделение. Почему-то он сказал, что мне лучше приехать одному. Видимо, не так важно. Технический вопрос.

— Ты себя слышишь? Что сейчас может быть неважным? Технический вопрос — это результат экспертизы. Действительно ли это чужая девушка. Мне кажется очень плохим знаком то, что он сказал тебе приехать одному, поэтому мы, разумеется, поедем вместе.

— Ты так враждебно говоришь, как будто это моя идея — поехать туда без тебя. Я как раз считаю, что нужно в любом случае ехать вместе. И все вместе обсуждать. Собирайся, только успокойся, пожалуйста. Возможно, у них что-то не получилось, не сложилось, ну, так бывает, наверное. Нужно что-то уточнить. Я только это имел в виду, когда говорил о техническом вопросе.

— Но ты же понимаешь, что уточнять надо именно со мной, так как именно я опознавала тело. И вещи. Поэтому мне кажется очень странным то, что он приглашает тебя одного.

63

— Да не так! Что ты зациклилась? Я уже сам сбился и забыл. Он, наверное, сказал: можно приехать и одному, чтобы тебя лишний раз не волновать. Он же не видел, что мы сидели рядом, когда он позвонил.

— Хорошо. Я буду готова через пять минут.

Он допивал свой остывший кофе, когда она вошла в черном брючном костюме.

— Странно, что ты так оделась, — пробормотал Виталий.

— А что не так?

— Черный цвет...

— Знаешь, как-то автоматически. Это просто деловой костюм, мы ведь не в гости едем.

— Да я так. Все нормально. В конце концов, мы там видели мертвую девушку. Пока ее родственники не в курсе, мы поедем в черном. Это уместно. Я собирался надеть черные джинсы и черную водолазку. Можешь спускаться к машине, я тебя догоню.

...Они открыли дверь кабинета Сергея через сорок минут. Тот сидел за столом и делал столько дел одновременно, сколько один человек вроде бы не может. Он что-то читал на мониторе компьютера, подписывал документы из разных папок, говорил по телефону, набирал текст на планшетнике, писал от руки... Кивнул им и показал на стулья перед столом.

Никитины сели, рассчитывая на долгое ожидание, но Сергей вдруг все прекратил.

— Значит, вы решили приехать вместе, — сказал он. — Ну, что ж. Так, может, и проще. И сложнее. Я не стараюсь вас заинтриговать, просто так получилось. Дело в том, что убитая девушка действительно не является вашей дочерью, Галина. Это по всему, что мы взяли у вас дома на анализ ДНК. Волосы, нестираная одежда, косметика. И документы из поликлиники. Все точно.

— Сергей, — выдохнул Виталий. — Ну, надо было сказать по телефону. Мы почти не сомневались, но все же было сильно не по себе, сами понимаете...

— Да. Понимаю. Генетическая экспертиза не исключает ваше отцовство, Виталий. Вот в чем дело. Сейчас подойдет эксперт. Будем как-то разбираться. Да, одежда действительно принадлежит Элизе Никитиной, вашей дочери, следы ее пребывания мы обнаружили и в доме Игоря Сечкина. Ее там не было, он сказал, что она уехала с другим, как ему кажется. Что его бросила и солгала насчет экзамена. Осматривать дом не позволил без ордера. Мы кое-что из мусора украли, потому что следы убираются быстро, и все знают про суд и ордер, до которых можно переклеить обои и поменять полы. Так что по мелочи... А чего бояться честному человеку.

— Но... что это значит: не исключается отцовство Виталия? Если это не Элиза? — произнесла Галина.

— Потому я и приглашал его сначала одного, — ответил Сергей. — Только он может нам сказать, могла ли у него родиться другая дочь от другой женщины примерно в то же время, что и Элиза.

В кабинете застыла тяжелая тишина. Она как будто оглушила Галину и Виталия. И они не слышали, как прошел к столу сотрудник отдела Василий. Он положил на стол какие-то распечатанные скрины документов и сказал:

— Могла. И родилась. Через год после Элизы. Вот документы распечатал. По базам нашел.

Глава 13

— Так, — тяжело и веско начал Виталий. — Только не надо допрашивать меня по поводу личной жизни в присутствии жены. Не потому, что я что-то от нее хочу скрыть, просто это никогда не было и не должно было быть ее проблемой. Но раз так все сложилось, я сам все скажу. Да, одна женщина родила ребенка от меня, когда Лизочке был всего годик. Это было нарушением нашего договора, она знала, что я люблю свою жену и никогда ее не брошу. Беременности бы не было, если бы она меня не подловила. Ну, у женщины всегда есть такая возможность. Долго скрывала беременность. Когда родила, пыталась заставить меня признать ребенка. Шантажом. От идеи суда отказалась, когда я купил ей квартиру.

— Как она назвала девочку? — спросил Сергей.

— Я даже не уверен, что это девочка, — ответил Виталий. — Понятия не имею, как зовут.

— Ее зовут или звали Валерия. Фамилия Сикорская, — сказал Вася. — Ее мать, Лидия, сейчас отдыхает в Альпах, я связался с ней с помощью местной полиции, она едет на опознание.

— Виталий Никитин, — спросил Сергей, — ваша дочь, рожденная Лидией Сикорской, была знакома с Элизой?

— Какую чушь вы городите! — воскликнул Виталий. — Лида Сикорская живет в другом городе, далеко, в Омске. У меня там был филиал. Потом я его ликвидировал. Разумеется, моя дочь Элиза никак не могла быть знакома с ее дочерью. И я больше не поддерживал никаких контактов.

— Но вы подарили ей квартиру в Москве, а не в Омске, — поднял распечатку одного документа Сергей.

— Она так захотела. В любом другом городе России считают, что продать квартиру в Москве — это навсегда стать богатым. Она так хотела больше двадцати лет назад, я так сделал. Я никогда не спорю с женщинами. Мы с вами будем это обсуждать? И потом это близко к действительности. Она могла бы сдавать. Чего она точно не могла — это работать. Отвращение к труду.

— Но она не продала. — Сергей продолжал рассматривать документы, не поднимая на Виталия глаз. — Она просто переехала сюда жить. Валерия закончила школу в Москве, потом компьютерные курсы, после чего ее приняли на работу секретаршей в один частный банк. Лидия значится безработной и незамужней, но, как вы слышали, отдыхает в Альпах.

— Ее спутник — как раз владелец банка, в котором работала Валерия, — сказал Вася.

— Боже, — выдохнула Галина.

— Почему вы спросили, знакома ли она с Элизой? — нервно произнес Виталий. — Почему вы все привязываете к Элизе?

В его голосе был такой откровенный страх, что все, даже Галина, посмотрели на него с сочувствием. Отец, у которого, возможно, убита одна дочь, пропала другая, был готов принять что угодно, лишь бы беда не коснулась одной — Элизы.

— Что тут непонятного, — пожал плечами Сергей. — Вещи на убитой девушке действительно принадлежат Элизе. Возможно, они были в одной компании, по крайней мере, в ту ночь. И нашли девушку в вашем районе, практически рядом с вашим домом.

— Вы уверены, что это дочь Лиды Сикорской?

— На сто процентов нет, конечно. Вы же слышали: мать летит на опознание, требуется еще одна генетическая экспертиза...

— У вас есть фотография Валерии? — спросила Галина.

— Да. Но фото жив... прошу прощения, фото обеих девушек, найденные в соцсетях, не производят впечатления большого сходства. Черты, выражения лиц — разные. Фигуры, возможно, похожи, но тоже не бросается в глаза. У девушек разная манера одеваться, держать себя. Вот, Галина, посмотрите.

Галина долго смотрела на фото дочери и незнакомой девушки. Потом сказала:

— Да, у этой девушки совсем другое лицо: глаза темные, небольшие, нос с горбинкой, губы совсем другие. Но если она такого же роста, как Лиза, то возможно, что я осматривала ее тело. Вот на этой фотографии она в очень коротком платье... Бедра чуть-чуть искривленные, я именно по этому поняла, что это не Лиза. Но пусть опознает мать. Я ей очень желаю, чтобы это была не ее дочь. Извините, я очень устала, мне нехорошо. Можно нам уехать? Больше к нам нет вопросов?

— Пока все, — сказал Сергей. — Отдыхайте. К сожалению, вы сами понимаете, когда у нас закончатся вопросы к вам. Когда теперь уже с двумя девушками все будет ясно. Думаю, это и в ваших интересах, хотя иметь дело с нами — конечно, неприятная необходимость.

— Да-да, — сказал Виталий и встал. — Мы поедем. До свидания.

В машине они долго молчали, потом Галя произнесла:

— Я не спрашиваю, за скольких детей ты расплатился, чтобы никогда их не видеть. Но один вопрос я задам. Ты понимаешь, что девушки легко могли познакомиться в Москве, ведь мать Валерии все о тебе знает, наверняка рассказала дочери, как ты их бросил, откупившись, что у тебя есть любимая дочь. Они — сводные сестры. Брошенных детей часто интересуют семьи отцов. Так вот: если они все же познакомились, то не стали ли обе жертвами маньяков? Ты так не думаешь? Может, одежда Валерии на Элизе? Возможно, кто-то жестоко над ними поиздевался из-за их сходства, из-за этого неполноценного родства? Скажи честно: ты так не думаешь?

— Нет. И не собираюсь выдвигать безумные версии, пусть во всем разбираются профессионалы. Как видишь, они работают неплохо. А тебе меня добивать сейчас не надо. Ты всю жизнь меня терпела таким, какой я есть. И только беда может открыть нам, что ты считаешь меня врагом. Не надо. Я тоже очень надеюсь, что убита не дочь Лиды. Но главное, чтобы все было в порядке с Элизой. Она — смысл нашей жизни. Я настолько был всегда в этом уверен, как и в любви к тебе, что это как будто — прости за цинизм — давало мне право отвлекаться и расслабляться. Главное было в порядке, целости и сохранности. Но если что-то случилось с Лизой — всему конец. Моей жизни конец. Того, что ты сказала про маньяков, не может быть. Элиза очень разумная, властная, хорошо разбирается в людях... рано или поздно. Она владеет ситуацией. Она куда-то уехала. Хотя я и сам думаю о том, что они могли познакомиться с дочерью Сикорской. Подурачиться в компании, затеять эти переодевания... И расстаться. У Элизы столько тряпок, она могла что-то оставить младшей, брошенной сестре. Приедет — узнаем.

— Да, ты прав, — спокойно сказала Галина. — И мы, конечно, никогда не станем врагами. И наша дочь — это наша жизнь. Только почему ты все время называешь Валерию дочерью Сикорской? Она ведь и твоя родная дочь.

— Наверное, я из тех мужчин, которым нужны разные женщины и только один ребенок. Ребенок от любимой жены.

— Ты уже говорил сегодня не раз о любви ко мне. Больше не стоит. Ситуация не способствует. Тебе изменяет такт. Ты слишком нервничаешь. Да, конечно, Элиза вернется. Господи, пусть она сейчас окажется дома. Все остальное я вынесу.

Евгения Михайлова

Глава 14

За Артемом приехали уже во второй половине дня. Сергей, поздоровавшись, внимательно посмотрел ему в лицо. Вроде пришел в себя. Симпатичный на самом деле парень. Но все еще очень бледный.

— Артем, — сказал он. — У нас выяснились дополнительные обстоятельства. Конечно, ничего окончательного. Поэтому прошу сосредоточиться. Я буду задавать не слишком упорядоченные и, возможно, пока не очень понятные вопросы. Отвечать нужно честно, подробно и по возможности делиться любой ассоциативной или иной информацией, связанной с тем, о чем я буду спрашивать.

— Почему такое вступление?

— Объясню. Нам пока не удалось выйти ни на одного другого подозреваемого, кроме тебя. Прямые улики, понимаешь, от этого не уйдешь. Я надеюсь что-то узнать с твоей помощью. На данном этапе я, разумеется, подозреваю в убийстве тебя, но слишком много прямых улик тоже внушают мне подозрения. Твои родители думают по поводу адвоката?

— Да... Мама мне сказала только что, что папа ищет.

— Могу посоветовать бюджетный, так сказать, вариант.

— Спасибо. Не надо. Они вроде решили продать этот чертов рояль. Он дорогой.

— Понятно. Мое дело предложить. Молодая женщина, в начале карьеры. Заинтересована в сложном, резонансном деле. Я работал с ней на одном процессе. Впечатляет. Выиграла.

— Скажу маме. Че-то как-то совсем хреново, что ли?

— Давай разбираться. Что ж тут может быть не хренового, если ты был под кайфом и ничего не помнишь. То ли видел, то ли снилось? А сам в крови.

— Я вспомнил, где был. У Сеньки Иванова. Шел пешком. Очень долго.

— Где он живет?

— Недалеко. Следующая станция метро. Я просто сначала не в ту сторону пошел, закрутился... Плохо соображал.

— Кто там еще был?

— Не успел вспомнить.

— Вспомни и напиши. И адрес точный этого Сеньки.

— Получится, что я вроде на всех настучу?

— Ну, если вы все вместе задумали и осуществили убийство, ты просто обязан пойти навстречу следствию и признаться.

— Ерунду какую-то говорите. Никто ничего не задумывал.

Он взял листок и стал писать. Потом протянул Сергею.

— Это все, кто там был?

— Это те, кого я знаю.

— Там были и незнакомые тебе люди?

— У Сени бывает кто угодно. Открытый дом. Один живет.

— А теперь соберись, как я просил. Посмотри на это фото. Ты знаешь эту девушку?

— Нет.

— Посмотри другие ее фотки. Может, все-таки знаешь?

— Да нет, точно не знаю.

— А вот здесь, посмотри, она стоит практически спиной, никого не напоминает?

Артем смотрел долго и напряженно на снимок: девушка в пуховике с капюшоном стояла спиной к фотографу, лишь кокетливо повернув в его сторону голову. Лицо было практически закрыто капюшоном.

— Немножко... На Элизу смахивает, да?

— Тебе виднее.

— Да, похожа. А кто это?

— Ты никогда не слышал, что у Элизы Никитиной есть младшая сестра? Незаконная.

— Да что-то как будто говорили. Мне просто это ни к чему было. Про Элизу все время что-то говорили. А в чем дело?

— Сейчас, извини, опять покажу тебе фото, с которым мы к тебе и пришли в тот день. Когда было предположение, что убита Элиза Никитина. Ты же по фото это практически сказал. Тебе даже плохо стало. Помнишь?

— Да.

— Вот теперь представь себе, что у этой, мертвой девушки лицо той, которую я тебе только что показал. Просто на ней платье и пальто Элизы. Представил?

— Да...

— Ты под дозой мог бы перепутать?

— Не знаю. Мог бы.

— Так ты, скорее всего, и перепутал. В любом случае: убил или просто увидел в ту ночь уже убитой.

У Артема уже все было выжжено внутри. Глаза горели от не пролившихся, а сразу сгоревших слез. Его затянуло в трясину по макушку. И он помнил сейчас только, как часто проклинал Элизу. Как хотел ее убить или увидеть несчастной. Из-за этого он и стал что-то нюхать, глотать, пить... Он это глушил. Ему было страшно. Он же ее любил. Но эта горькая и бессмысленная обида, всякий раз, когда они встречались... Он для нее был — пустое место, муляж из магазина. И с этим ничего нельзя было поделать. Он поэтому так рано стал встречаться с женщинами; хотел проверить, все ли с ним в порядке. Другие женщины считали, что все в порядке. Он многим нравился. А она его не видела! Не видела даже, когда смотрела прямо на него. Когда с ним разговаривала. Да, он ее возненавидел, потому что не мог разлюбить. И он мог, увидев тогда девушку, одетую, как она, ударить ее этой палкой? Так сильно ударить, убить? Он мог, если ничего не соображал! Наверное. Ну, если только его следы...

— Вы меня сейчас отправите в тюрьму?

— Нет, хотя объясняться с начальством придется. Ты остаешься под подпиской. Дело в том, что прямые улики слишком рядом и близко. Так не поступают убийцы. И ты был в слишком плохом состоянии, чтобы так размозжить череп. Главное, я не вижу мотива. Не исключено, что увижу. На то и следствие.

Евгения Михайлова

Без моего разрешения — из дома никуда. Поставим наружку. Но и на помощь надеемся. Если грубая подстава, ты должен что-то сообразить. Ты кому-то мешал?

— Другая проблема. Я никому не нужен.

...Артем вошел в квартиру, Ирина ахнула, встречая его в прихожей. У него были черные тени под глазами, заострился нос, впали щеки. Это беда!

— Скажи сразу: что?

— Никаких подозреваемых, кроме меня, нет. Это не Элиза, это может быть ее сестра в ее пальто, а я перепутал. Они сзади похожи.

— Не поняла: какая сестра?

— Да есть у нее или была сестра, незаконная. Кто-то мне говорил, я не помню, что у ее отца есть еще дочь. Ее даже вместе видели с Элизой. Следак сказал, чтобы я вспомнил, кто сказал, где видели. Я ничего этого не буду. Без толку. Я хотел убить Элизу, я ее ненавидел, ничего не соображал. Но я видел кого-то в этом пальто, потому что она мне снилась в нем. И где Элиза вообще? Мне кажется, они и ее найдут убитой. И это тоже как-то повесят на меня. Не надо, мама, продавать рояль. Не надо никакого адвоката. Хотя Кольцов кого-то дешевого предложил. Может, чтобы вернее посадить... У них же есть свои, подставные. Короче, из этого выкарабкаться нельзя, понимаешь, мама?

— Убита точно сестра Элизы?

— Не точно. Ее мать летит на опознание. А какая разница?! Для нас?! Ну, не сестра. Но я перепутал с Элизой... и... — Артем сгорбился, закрыл лицо ру-

75

ками и сполз по стене на пол. Он сжался под этим ударом судьбы, как, наверное, лежал у нее, Ирины, в животе до появления на свет. Она родила его для счастья. Теперь понятно, что счастья не было у ее сына. Он страдал из-за этой девушки, а они занимались своей наукой, а не его жизнью. Но теперь... Ирина села рядом с сыном на пол.

— Что значит — нельзя выкарабкаться? Ты говоришь это матери? Мы должны, постарайся, мой дорогой. Постарайся вспомнить, кто говорил про сестру. Я тоже узнаю. У тебя может быть вообще алиби: вдруг ты с кем-то пошел совсем в другую сторону... Раз не соображал.

— Мам, а кровь, а отпечатки?

— Я не знаю. Но мы будем бороться.

Николай открыл дверь и увидел их по-прежнему сидящими на полу. Артем, их взрослый сын, обнимал Ирину, спрятав лицо у нее на плече, как будто его сейчас придут отрывать от нее навсегда... Несчастье продолжается. А он шел домой и так надеялся, что все вдруг как-то объяснится!

Глава 15

Виталий лежал на диване в своем кабинете и, глядя в потолок, вспоминал Лиду Сикорскую. Он не вспоминал ее столько лет. Где-то двадцать два года. Элизе через два месяца исполнится двадцать три. Ребенок Сикорской примерно на год младше. Галина упомянула о том, что не будет спрашивать, от многих ли детей он откупился. Он это делал не раз. Иногда потом узнавал, что ребенок не родился. Что это был чистый шантаж. Виталий уже никогда не произнесет в разговоре с Галей или дочерью слово «безнравственно», на нем самом из-за этой истории стоит в этом смысле жирный крест. Никаких моральных прав. Но с собой он может быть хотя бы честным. Он и сейчас не видит страшного преступления в том, что стремился к легким удовольствиям с другими женщинами. Он всегда знал, что это пройдет. Значит, это не настоящая измена. Но для женщины, которая оказалась рядом на короткое время, подлость и большой грех — ловить мужчину, который сразу говорит, что продолжения не будет, с помощью ребенка. Новой беззащитной жизни. Черт их знает, может, кто-то и бросал детей от него в роддомах, получив свои откупные.

Он с легкостью забывал таких женщин, они нарушали договор, его представления о таком серьезном аспекте жизни, как легкий флирт. Для него серьезном. Короткие отношения, основанные на взаимном влечении. Эти отношения должны кончаться в ту минуту, когда кончается влечение. Виталий сейчас был в таком смятении, что сомневался в том, что его женщины что-то испытывали к нему, кроме алчного желания захватить. Имитацию страсти он часто считал просто отсутствием сексуальной культуры. Но в эту плохую минуту он уже думал, что никто ничего к нему не испытывал. Тогда на что он тратил свою жизнь? За что так расплачивается сейчас? Нет, он, конечно, очень сильно надеется, что убита не дочь Сикорской. Не его дочь. Но ситуация страшная и унизительная. Оказывается, Элиза знала, что у нее есть сестра, они встречались. Знала, что он просто расплатился с ее матерью, чтобы не иметь к ней отношения. Но без него она бы не родилась. И, возможно, не была бы убита. Что-то тут есть, какая-то связь. Одежда Элизы, их район. Он купил Сикорской квартиру в соседнем районе. Не очень далеко, но и не слишком близко. Пешком не добежишь. И зачем?

Вся эта история с ребенком тогда показалась ему настолько противной, что он закрыл филиал в Омске и просто выбросил все из головы. Не хватило ума проверить, продала ли Сикорская эту квартиру. Не сомневался, что она сделает, как он сказал. А она развела его, как полного лоха, и, судя по всему, находила потом других лохов уже в Москве. Кольцов сказал, что он оказался вписанным в свидетельство о рождении Валерии. Вроде бы это возможно только с согласия отца. Без согласия можно было бы вписать Абрамовича или поп-звезду. Но это было в Омске, у нее там всякие связи, подружки везде. Она была заводная, хохотушка, любила быть центром компаний. Казалась добродушным человеком и страстной женщиной. Они все ему сначала такими кажутся.

Он вдруг вспомнил Лиду очень ясно, как будто видел вчера. Невысокая, полная, складная и упругая, она гладко причесывала свои темно-русые волосы, укладывая сзади то в косу, то в локоны. У нее были небольшие темные, яркие глаза и аккуратный носик с горбинкой. Губы она красила очень яркой помадой, чтобы они казались полнее. Она тогда, двадцать два года назад, очень подчеркивала свое сходство с

78

классической гречанкой. Заказывала платья, напоминающие хитоны и туники, покупала сандалии, носила крупные украшения. На вечеринках для нее включали музыку «Сиртаки», и она очень красиво танцевала. Он гордился ею. Однажды даже привез хорошего фотографа, который сделал ей настоящее портфолио. В разных нарядах, в купальниках, в образах греческих богинь, для которых они заказывали костюмы по картинам. Она была артистичной. Принимала от него деньги и подарки, но не казалась алчной. Для него это так естественно — дарить подарки женщине, которая нравится. И его последний подарок был вовсе не плох, хотя она ему уже совсем не нравилась. Квартира, которую он ей купил, была отличной, отделанной, обставленной. Она стоила много миллионов. Но, несмотря на это, она все же затаила зло? Только этим он может объяснить тот факт, что она рассказала о нем своей дочери, сказала, где он живет, как познакомиться с Элизой. Без ее руководства все это не могло произойти. Она не должна была это делать, потому что он непреклонен в своей позиции и заплатил ей за ее же ошибку, мягко говоря. Ей было сказано, что это все, и она с этим согласилась. В противном случае не надо было принимать квартиру. А затем затеяла эту интригу с Элизой и своей дочерью, и хорошо это закончиться просто не могло. Виталий понимал, что его логика может оттолкнуть любую женщину, возможно, и не только женщину. Но она у него такая. Ее можно принимать или нет. Галина приняла, и благодаря ей их жизнь никогда не теряла человеческого, цивилизованного смысла. Но так наверняка не считала даже Элиза, вот в чем беда. И она, ничего им с Галей не сказав, начала встречаться с сестрой. Но это могло быть только ловушкой, местью. В чем она состояла? Где наша девочка? О боже! Виталию уже не казалось, что с Элизой может быть все в порядке.

Зачем? Зачем? Зачем? Виталию вдруг стало казаться, что преступление было направлено против него. Готовилось против него. Возможно, убить должны были Элизу из мести ему. А девочки переоделись, произошла такая трагическая для Валерии ошибка. Даже если убита ее дочь, их дочь, несмотря на горе матери, Виталий напишет заявление, чтобы Сикорскую проверили по поводу преступного замысла. У нее есть мотив: месть. Она оказалась интриганкой по всем параметрам.

Дверь приоткрылась, заглянула Галя.

— Ты не спишь?

— Нет конечно. Заходи.

Галина села рядом с ним на диван.

— Не по себе стало одной. О чем ты думаешь?

— Я думаю о том, что Сикорская могла из мести заказать Элизу. Исполнитель ошибся из-за того, что девочки переоделись. Полагаю, убита точно дочь Сикорской. Третья похожая девушка в платье и пальто Элизы — это все же невероятно.

— Да, и я так думаю. Тем более уже два человека сказали мне, что они знали, что у Элизы есть незаконная сестра. Просто скрывали от меня. Что Элиза знала эту девушку. Их видели вместе. И в нашем районе. Действительно, очень похожи...

Евгения Михайлова

— Кто сказал?

— Мои подруги. Матери одноклассниц Элизы.

— Раньше не могли сказать?

— Раньше меня жалели, — жестко ответила Галина. — Никто не мог предвидеть такой поворот. Прости.

— И ты прости. Ты не звонила Кольцову? Опознание было?

— Я звонила несколько часов назад, Сикорская еще тогда не приехала. Но у них есть подозреваемый. Это Артем Васильев, не знаю, помнишь ли ты его. Это Лизочкин одноклассник. Чудесный мальчик из научной семьи. Заканчивает институт, играет на рояле. Мне казалось, что ему очень нравится Элиза. Точнее, что он влюблен.

— Как такой парень может быть подозреваемым?

— Следы преступления, прямые улики. В общем, версия такая, что он был пьян или под наркотиками, увидел, как ему показалось, Элизу... То, о чем и ты говорил. Ошибка. Девочки переоделись.

— Ничего не понимаю. Ты же говоришь, приличный парень, влюблен в Элизу.

— Ревность. Он сам так сказал. Он ничего не отрицает, потому что ничего не помнит. То ли видел Лизочку в ту ночь, то ли она ему снилась.

Виталий долго и напряженно молчал, потом произнес:

— Ты понимаешь, что это не снимает мои подозрения? У Сикорской очень изощренный ум. Она могла найти не платного убийцу, а именно отвергнутого Элизой парня, подпоить, точнее, поручить кому-то.

Есть какие-то наркотики, вызывающие агрессию. Мы же не знаем, кому еще сказал Игорь, что Элиза уехала домой. Вот этого Артема и вывели к нашему дому практически в то время, когда Элиза должна была подъехать. Но Элиза поехала не домой, а Валерия, скорее всего, вышла из наших домов. Черт, получается это все не без Игоря. Вот он и не дал осматривать свой дом: остались ли там вещи Элизы. Вероятно, они поменялись одеждой именно у него, а он об этом боится сказать.

— А зачем они менялись, тебе понятно?

— По-моему, Элиза просто подарила сестре платье и пальто. Она в дорогу всегда надевала джинсы, мне кажется. Если эта Валерия в маму, то у нее может оказаться много вещей Элизы. Может, этим и объясняется ее интерес. Элиза — великодушная девушка, если та прибеднялась...

— Не говори так! Твоя младшая дочь убита! Возможно...

— Но я договорю. Они не нуждались, и Валерия никогда бы не узнала о существовании Элизы, если бы это все не придумала ее мать.

Глава 16

От кого Артем слышал, что у Элизы есть сестра? Кто мог знать эту сестру? Артем проснулся на рассвете после поверхностного сна не больше трех часов и пытался заставить себя вспоминать до ломоты в висках. И память, и мысли — все вышло из повиновения. Он думал о ней. Он, как всегда, думал о ней.

Евгения Михайлова

Как ее найти? Как узнать, все ли с ней в порядке? После этого он просто поплывет по течению. А сейчас... Артем так скучал по Элизе, как будто они постоянно виделись, как будто все у них было... Вообще-то было. Он тысячи раз это себе представлял. И когда он был на самом деле с другими женщинами, он представлял, что это Элиза. Она бы брезгливо поморщилась, узнав об этом. Не потому, что был с другими, а потому, что посмел так представлять себе ее.

Артем быстро встал и включил ноутбук. С тех пор, как начался этот кошмар, он не смотрел на ее фотографии. А их у него немало. Получилось это просто. Этим летом, в жаркий день он отправился в магазин за водой. В сквере увидел Элизу. Она сидела на скамейке, ела мороженое и читала сообщения в своем айфоне. Была в шортах и майке, явно никуда не торопилась. Он сел рядом. Попросил показать айфон. Спросил: «Камера хорошая?» Она открыла свою галерею. Там были в основном ее фотографии. Одна, с кем-то... В разных интерьерах и местах. Она легко согласилась переслать большинство фото на его почту. Правда, спросила лукаво: «А зачем они тебе? Мне самой просто удалить их лень».

— Будут у меня, — удаляй, — ответил Артем. — А мне так... Хорошие фотки.

Элиза прекрасно знала, зачем ему ее фотографии, она не сомневалась в том, что ее фото нужны всем мужчинам на свете, и она никогда не кокетничала, не заставляла себя упрашивать в тех случаях, когда ей ничего не стоило выполнить просьбу. Вот и стал Артем обладателем богатого альбома, в котором было несколько семейных фото, пара школьных, немного студенческих и больше всего Элизы.

Он, как всегда, в первую очередь открыл ее большой портрет в рост. Летний сарафан, загорелые руки и ноги. Лицо она подняла к солнцу. Не улыбалась, не позировала, просто дарила себя солнечным лучам. Артем смотрел жадно и с тоской. Подумал вдруг: он хотел бы, чтобы в его жизни не было этого неразделенного чувства? Он хотел бы, чтобы Элиза была ему совершенно безразлична? Должен хотеть, потому что именно эта страсть затащила его в беду, в которой он сам ничего не понимает, кроме того, что у этой беды есть причина. Но он не отрывал от нее глаз и точно знал, что ни в какой ситуации не захотел бы изменить то ли подарок, то ли несчастье своей судьбы — лишиться любви к Элизе. Вся прошедшая жизнь без этого была бы блеклой и пустой. Так ему казалось. Ему, который вдруг оказался изгоем и, вероятнее всего, убийцей. Так бывает, чтобы убийца не помнил, как убивал? Откуда он может это знать? Он не тяжелый наркоман, но он был в ту ночь не совсем адекватным. Или совсем неадекватным. И у него в любом состоянии есть навязчивые идеи: то упасть к ее ногам, умоляя о какой-то милости, то отомстить. Да, убить. Он уверен, что так многие спасаются от слишком сильного чувства: в мыслях умоляют, в мыслях убивают... Но если он совершил преступление не в мыслях, значит, в нем все сломалось. Если бы у него была возможность спросить у настоящих убийц, бывает ли такое, как с ним... Да, у него, кажется, будет такая возможность. Тогда, когда изменить уже ничего невозможно. А пока у него есть время в чем-то разобраться. Попробовать. Но ведь тут что-то точно не то! Почему именно тогда, когда он шел домой (а шел он долго), на его пути оказалась эта сестра Элизы, одетая в ее вещи? Где он взял эту палку? Почему в нем возникла такая злость, если она шла одна?!! С ним случались приступы ревности постоянно, но только после того, как он видел ее с другим мужчиной. И не просто с мужчиной, а если они целовались, обнимались. Но с этой девушкой не было мужчины, следователи нашли его по отпечаткам ботинок сразу. Хотя речь о том, что были и другие следы, шла. А почему они больше никого не нашли? Да потому, что нашли его, для них этого вполне достаточно.

Артем вышел на кухню, попил холодной воды, вернулся к компьютеру. В нем, кажется, появилась наконец решимость. Он не хочет играть втемную. Он согласится с ясной картиной, полным доказательством, но этого нет! Это не разговор: «со всеми случается передоз», как сказал ему следователь Вася. Может, и случается, но именно он в таком случае обычно спит, если больше, чем нужно, выпьет или нанюхается. Он учился в школе, заканчивает институт, а серьезно, пожалуй, и не дрался. Так, очень редко, просто дать сдачи. Удар у него хороший. Задиры сразу успокаивались. Если родители найдут ему адвоката, пусть он потребует, чтобы его проверили. Чтобы накачали чем угодно, попробовали довести до такого безумия, как реальное убийство. У них же для психиатрических экспертиз, наверное, есть защищенные фигуранты. Или какие-то муляжи.

Артему показалось, что Элиза на солнечном фото как будто вытащила его из провала отчаяния. Он поборется. Он открыл следующий снимок. Это Элиза с Игорем, своим последним бойфрендом. Хотя он, вероятно, предпоследний, раз ее у него нет. Она действительно именно так бросала мужчин. Уезжала с кем-то другим. Корабли сжигала. А вот она в компании, в длинном платье с большим декольте. Они в какой-то странной, большой квартире. Везде на стенах огромные фотографии. Может, это студия. Есть и другие женщины. Одна, на фото она на самом краю, наполовину не в кадре, тоже в длинном платье... Она похожа на Элизу.

Дверь его комнаты открылась, вошла Ирина, приблизилась к его столу.

— Я тебе не помешала? Доброе утро, сынок.

— Доброе. Нет, я просто смотрю.

— Как хорошо здесь получилась Элиза!

— Мама, я хочу что-то понять...

— А я потому и пришла к тебе так рано. Я всю ночь думала о том, что у тебя никогда не было детских истерик, знаешь, как бывает, когда ребенок бросается на родителей или на пол, стучит ногами, кричит. Мы — не самые хорошие родители, конечно, мы мало уделяли тебе времени. Но никогда никому из нас не хотелось на тебя закричать или поднять руку. Мы с папой всегда были в этом согласны. Мы оба считаем, что это преступление — ударить ребенка.

Евгения Михайлова

— Мам, ты о чем вообще? Тебе не показалось, что мне так память отшибло, что я думаю, будто вы меня колотили почем зря?

— Нет, мне так не показалось. То, что сейчас произошло с твоей памятью, может быть психологическим уходом от чего-то страшного. Того, что ты увидел. Я говорю совсем о другом. О том, что человек, не знавший с детства насилия, унижения, не может в один день или ночь стать убийцей. Я говорю это не как мать, а как ученый.

У Артема на мгновение спазм перехватил горло. Он справился и постарался спокойно сказать:

— Мама, ты прямо экстрасенс какой-то. Я сейчас думал как раз об этом. Я умею как следует вмазать, парню, конечно, но я всегда знал, как ничего не повредить. Просто вернуть в разум. И не напиваюсь я, как свинья, и не нанюхиваюсь до маразма. Просто страшно спать хотел тогда под утро. Как лунатик, шел. Может, вообще тухлятиной какой-то отравился у этого Сеньки. У него всегда какая-то дрянь.

— Ты часто это делаешь? Я имею в виду кокаин.

— Нет. Когда депресняк... Толку нет в этой мути, но... В общем, не беспокойся, можно сказать, — вылечился, — сказал он с горьким сарказмом. — Понял, что самое страшное — тупая голова, которая не в курсе, чем занимается ее владелец.

— Ничего. Мы будем разбираться вместе. Мы просто так не сдадимся. Все можно восстановить. Главное, чтобы было желание. Ты действительно все-таки захотел во всем разобраться?

— Да. Это точно. Только бы...

— Только бы Элиза нашлась, да.

— Живой...

— Боже, не говори так! Не притягивай ничего. Достаточно бед.

Глава 17

Виталий Никитин стоял у окна маленького предбанничка этого жуткого места, где трупы лежат, как в ячейках банка, и скрывают свои тайны. Не думал он, что придется сюда вернуться. Масленников вошел с Лидой Сикорской, взял ее шубку и сказал, чтобы она пришла к нему в кабинет за халатом и маской. Он их оставил, понимая, что Виталий приехал сюда не любопытства ради. Пусть пообщаются. У них должны быть вопросы друг к другу. По крайней мере, у него — точно. Следствию сейчас так нужны знаменитые «ниточки» Сергея Кольцова. Александр Васильевич неплотно прикрыл дверь своего кабинета. Должен кто-то помогать Сереже ловить эти ниточки.

Виталий и Лида смотрели друг на друга молча, внешне — без эмоций и даже выражений. Чужие люди, которые не виделись более двадцати лет и которых ничего не связывает... Кроме дочери, которая родилась вопреки его желанию, была им забыта, а теперь, возможно, мертва.

— Ты не изменилась, — сказал он, и это было почти правдой.

Лидия была одета точно так же, как одеваются девушки двадцати лет. Обтягивающие джинсы-стрейч, сапоги на высоком каблуке, джемпер с глубоким вырезом, открывающий полную грудь. Крупный кулон на шее и длинные серьги, почти до плеч, браслеты и кольца, высокий гребень в гладких волосах, над небрежно и продуманно уложенным пучком на затылке. По-прежнему играет в греческих богинь. Лицо ухоженное и гладкое. Более ухоженное, чем двадцать лет назад. Макияж яркий и смелый. Но все-таки не подумаешь, что двадцать. Взгляд другой. Плохой взгляд. Прожженной, как говорится, бабы. Не растерянный, не испуганный, как должно быть в подобной ситуации, а такой: «Если это моя дочь, а не твоя, значит, ты виноват. И ты заплатишь по-настоящему».

Ее взгляд показался ему настолько говорящим, что он сразу уточнил:

— У тебя ко мне какие-то претензии?

— Претензии?! Если там Валерия, если она одета в вещи твоей дочери, если убита рядом с твоим домом, тут не обошлось без тебя.

— Интересно. Точнее нельзя?

— Можно. Ты узнал, что девочки подружились. И ты не смог, конечно, это вынести. Как! Твоя принцесса общается с дочкой женщины, которую ты считал проституткой на короткое время. Твоя дочь дружит с той, которая посмела родиться и жить вопреки твоей воле. Вот и все. Ее не должно быть. Вообще. На земле. И ты считаешь, что не расплатишься за это? Да ты умоешься кровавыми слезами!

— Какой бред ты несешь! Вроде бы трезвая, и для климакса рановато. Я понятия не имел, что ты живешь в Москве. Ты должна была продать квартиру и содержать на это свою дочь. Ты решила иначе. Но меня твои решения уже не касались. Я забыл тебя в один день. Расплатился, да, но не каждая проститутка получает столько. Надо иметь капельку благодарности. Хотя кому я говорю. Я приехал не повидаться с тобой, а спросить, с какой целью ты рассказала дочери обо мне? Тебе было сказано: не делать этого! У твоей дочери нет отца! А ты мошенническим образом вписала меня в ее свидетельство о рождении. В наследницы, что ли, готовила? Тебе всего мало? Твоя дочь прилипла к Элизе, втянула ее в какую-то компанию, их видели вместе в нашем районе. Они менялись вещами, точнее, Элиза, видимо, отдавала твоей дочери свои вещи. Наверняка она такая же алчная, как ты. И сейчас Элиза пропала!

Виталий чувствовал, что от гнева, ненависти и страха у него как будто разбухла голова. А ведь это так логично и так реально. Он смотрел на гладкое и бесстрастное лицо Лидии и думал о том, что она способна на все. Сдержаться он уже не мог.

— Независимо от того, опознаешь ты или нет убитую девушку, я договорю. У тебя есть мотив, тварь! Мотив убить Элизу. А твоя дочь напялила ее вещи. Из-за этого, может, в твою же ловушку попалась. Но где моя дочь?

Масленников решительно вышел из кабинета и взял Виталия за локоть:

— Успокойтесь. Здесь только мать, приехавшая на опознание, здесь не место для разборок. Наверное, вам лучше уйти. Ситуация получается совсем чудовищная. Немного сострадания должно быть. Лидии предстоит очень тяжелая процедура. Вы и ваша жена через это прошли. Вам, помнится, не было легко.

— Мне и сейчас не легко, — угрюмо произнес Виталий. — Если бы мы знали, где Элиза, я проявил бы сострадание. Но мне кажется, что-то произошло. Сикорская намудрила в своих интригах, она всегда была интриганкой.

— Не стоит продолжать эти бессмысленные обвинения сейчас. Вы это озвучили, следователь подумает. Мы с Лидией уходим.

— Я подожду, — решительно сказал Виталий. — Не беспокойтесь. Я просто погорячился. Но я должен знать. Валерия — и моя биологическая дочь.

— Хорошо, — ответил Масленников.

Они с Лидией ушли в его кабинет, она вышла оттуда в халате, марлевой повязке на лице, в бахилах и вдруг взглянула на Виталия испуганно. Ее агрессию и наглость вытеснил столь понятный страх. Она сразу стала жалкой, сгорбленной, почти старой. Он отвернулся, чтобы не видеть это.

Глава 18

Игорь Сечкин любовно ухаживал за собой часа три. Он это делал каждый день, в любой ситуации. Один или когда у него была в гостях любовница. В период увлеченности, в разгар романа, сразу после расставания, даже если его бросали, как поступила Элиза. В принципе, он к этому был готов. Ему было с ней хорошо, он ею гордился, но она такая сложная, непредсказуемая. И сейчас, испытывая и стимулируя в себе томную грусть, он на самом деле чувствовал облегчение. Да, ему будет сложнее во всех отношениях: не очень приятно выглядеть брошенным, как использованный разовый предмет, знакомые это уже, конечно, всласть обсуждают. Но это можно пережить. Сложнее с тем, что он никогда не испытывал такого физического влечения к женщине и повторить это по заказу не получится, но, может, и это к лучшему? Дело в том, что у Игоря другая страсть, на ее фоне женщины — это в принципе несерьезно. Он постоянно думал о деньгах, он умел их делать: вкладывал, крутил, выводил. В его мозгу сияли счета в зарубежных банках и общая сумма. Увеличивать ее было потребностью организма. У него были настолько сладкие минуты: оргазм головного мозга. Это день рождения очередного миллиона долларов. Ради этого можно пойти на что угодно. Тем более что он достиг такой ступеньки, когда все сделают другие. Его фирмы и их «дочки», которые ничего не производили, не сеяли и не пахали, в основном все было на бумагах, — просто ловили куски бюджета и давили их, как в соковыжималке.

Соратники Игоря женились, обзаводились стаей детей, записывали на всех состояния и недвижимость. И все светились по этой причине: если домохозяйка, когда-то закончившая курсы кройки и шитья, — долларовая миллионерша, а дети к моменту совершеннолетия становятся собственниками особняков, вилл и значатся в структуре крупного бизнеса, — то рано или поздно не просто все станут общим посмешищем, но и друг другу могут оказаться

Евгения Михайлова

врагами. Скрытые семейные войны казались Игорю омерзительными. Как и весь этот шум вокруг семейных кланов. Его мама жила в Тамбове, в маленькой двухкомнатной квартире, на пенсию. Он иногда посылал ей тысяч пять рублей. Она звонила и страшно благодарила, она была уверена, что он отрывает это от себя, она понятия не имела, как он живет, насколько богат. Она никогда к нему не ездила, просто не было возможности в кромешном выживании. Он к ней приезжал. Скромный и аскетичный. Привозил из Москвы продукты. Она плакала от его щедрости. Он был собой доволен в такие минуты. Хотя сам все знал о собственной «щедрости». Элиза, которая оказалась не просто слишком независимой, умной, но и слишком наблюдательной, сказала однажды, что у него синдром Гобсека. Он вздрогнул, как от удара хлыстом. Такой ужасный образ! Этот жалкий и убогий старик со своими сокровищами... Обидно было, что так сказала именно она. Он понял, что не простит это никогда. Так что все к лучшему, следующая женщина будет у него не такой проницательной и жестокой.

Игорь многим казался аутичным. И на самом деле по-настоящему хорошо ему было в одиночестве. Конечно, ему приходилось бывать в компаниях, где все напивались, веселились и болтали. Утром он понимал, что стал обладателем ценной информации, что он ее использует рано или поздно, станет богаче, а кто-то из его товарищей — беднее. Потому что они только в глазах дураков товарищи. На самом деле нет более коварных врагов, чем люди с синдромом

ГОРОД СОЖЖЕННЫХ КОРАБЛЕЙ

Гобсека, — как же его зацепило это оскорбление. Но что-то в нем есть, конечно.

Игорь сделал полную гимнастику, гидромассаж, тщательно помылся, натер тело гелем с ароматическими маслами, тщательно уложил феном волосы, долго ухаживал за лицом. Затем выпил приготовленный с вечера настой гранатовых корок. Знакомый врач сказал ему, что это лучшая профилактика от рака. Игорь хохотнул, пошутил по поводу того, что каждый врач знает панацею от рака, а лечить никто не умеет. И тут же поехал в магазин за гранатами. И каждый вечер делал себе этот настой. Для него была невыносима мысль о какой-либо болезни, особенно неизлечимой. Мысли о смерти он просто не допускал. Это невозможно себе представить: он умрет, а все накопленное останется. Деньги не умирают.

И опять он вспомнил эпизод с Элизой. Ему было очень хорошо тогда с ней. И он, возбужденный и восторженный, назвал ей сумму своего состояния. Она посмотрела на него задумчиво и, как сейчас ему показалось, с насмешкой:

— А зачем тебе столько? У тебя даже семьи нет. Ты не проживешь эти сотни миллионов долларов даже за тысячу лет. И ты не проживешь тысячу лет.

Ничего более бестактного он не слышал. Но улыбнулся и сказал:

— Сейчас быстренько оденусь, сбегаю, все завещаю детскому дому. Не знаешь, где они есть?

— Не знаю, — ответила Элиза. — И ты не побежишь. Да и не стоит. Там тоже могут оказаться воры, и никому от этого хорошо не будет. Попытка шутки не удалась.

— Что значит — «тоже»?! — Он смотрел на ее красивое лицо, и ему хотелось смять его ладонью.

— Ты чего? — удивилась она. — Тебе показалось, что я тебя вором назвала? С ума сходишь. Тоже — в смысле: они везде.

Игорь отмахнулся от неприятных воспоминаний. Начал варить себе кофе, не просто включил кофемашину. Он перестал ею пользоваться. Смолол зерна в ручной мельнице, потом варил кофе в турке, добавляя корицу. Та же панацея от того же доктора (доктор ли он на самом деле, Игорь не знал) и от той же болезни. И тут сразу раздались два звонка — в ворота и по телефону. Игорь ответил по телефону:

— Доброе утро, Игорь Валентинович. Сергей Кольцов вас беспокоит от ваших ворот. Откройте, пожалуйста.

Игорь вышел на террасу и нажал кнопку на пульте. Ворота разъехались, машина следователей въехала во двор. Сергей вошел на террасу первым и просиял улыбкой:

— Все получилось, как вы хотели. Судья дал ордер на досмотр вашего дома.

— Почему?

— Сложная ситуация, я пытался вам объяснить. Мы нашли убитую девушку в одежде Элизы Никитиной. Это точно. Вопрос к вам. У вас в ту ночь была только Элиза или две девушки?

— Я в тот раз просто вам сказал: ваши бредовые версии не собираюсь ни опровергать, ни подтверждать. Немного имею представление о стиле вашей работы. Участвовать в этом нельзя. Вы всё используете против меня, если вам захочется. Где ордер? Понятно. Можете приступать. Я даже не собираюсь звонить своему адвокату.

На самом деле мысль такая у Игоря была, но он отмел ее. Все обойдется, скорее всего, но адвокат понесет по свету эту историю. Этого точно не нужно.

Глава 19

Виталий давно устал стоять в этом закутке. Он сел на единственный стул, откинулся на спинку и закрыл лицо руками. Ему опять плохо, не просто морально, а физически, в атмосфере концентрированной смерти. Неестественной, неразгаданной, страшной. На этот раз сильная резь в глазах. Он опустил ладони и открыл глаза на звук. Перед ним стояла Лида, она сдвинула повязку под подбородок. Масленников стоял у стены. Вопросов можно было не задавать. Лицо Лиды было белым, накрашенные глаза казались почти безумными, губы странно обвисли, он никогда такого не видел. Подбородок вздрагивал, как будто она пыталась вернуть рот на место, но это не получалось.

— Это Лера, — хрипло сказала она.

— Я понял. Мне очень жаль. Давай я тебя отвезу домой.

— Отвези. Только мне нужно сдать этот тест все равно... Хотя я знаю.

— Да, им нужны документы для дела.

Он ждал ее, и в голове не было ни единой мысли. Просто чувствовал, что надо как-то вырваться из этого мертвого плена. Хотя бы во двор. Но дождался ее. Лидия вышла из лаборатории уже без халата и маски, шубу она просто держала одной рукой и тащила за собой по полу. Он поднял ее и уже во дворе накинул ей на плечи.

— Ты приехала на машине?

— На такси.

— Хорошо.

Она села, и он повез ее по тому адресу, где вместе они были только один раз, двадцать два года назад. Они молчали до самого дома. Когда он припарковался, она вдруг сказала:

— Не зайдешь? Там никого нет. Я хочу тебе показать дочку, какой она была маленькой.

У Виталия оборвалось сердце. Он не хотел. Он приехал в морг до опознания, чтобы в чем-то уличить Лидию. Он ее подозревал. Да, что тут подозревать. Теперь уже совершенно ясно, что она ставила ловушки для Элизы. Но погибла ее дочь, которую он ни за что, даже про себя и мимолетно, не называл своей дочерью. И тут она просит... Она, наверное, надеялась, что это ошибка. Она мать. А он ходок, эгоист, но не мерзавец. Он даже считает себя порядочным человеком, потому что любит дочь и жену. Боже, Лиду сейчас нельзя оставить одну. Он поднимется на минуту, посмотрит и уйдет.

Квартира хорошо содержалась. Свежий ремонт, нормальная мебель, в холле огромный портрет Лидии в образе греческой богини, на вешалке есть и мужские вещи, в гостиной пепельницы, бар, над камином фото в серебряной рамке: Лида с каким-то типом. Она опять греческая богиня, он — барыга с масленым взглядом. Наверняка это тот банкир, с которым она ездила в Альпы и у которого работала Валерия.

— Садись, — сказала Лидия, показав на кресло. — Почему ты не снял куртку?

— Я тороплюсь.

— Хорошо. Я быстро. Выпьешь что-то?

— Я за рулем.

— Капельку хорошего коньяка?

— Давай.

Он медленно выпил пару глотков действительно хорошего коньяка, нетерпеливо глядя на фото в планшете, которые она ему показывала. Он хотел, чтобы это побыстрее закончилось. Конверт с ребенком, сморщенный младенец на пеленальном столе, еще, еще, еще... И вдруг — девочка лет трех стоит в коротком платьице и босиком, глядя исподлобья темными глазами. Он смотрит на ее толстенькие ножки и глаз оторвать не может. Он только у одного человека видел такие пальцы на ногах. У себя. Совсем разной длины. Второй пальчик у ребенка намного длиннее большого, мизинец на редкость коротенький. Ему всю жизнь тяжело подбирать обувь. Валерии, наверное, тоже. Было тяжело... Не стоило пить коньяк. Его рука поднялась, ему страшно захотелось потрогать эти пальчики на фото. До него наконец дошло, что это его кровь! Он быстро встал.

— Извини, мне пора.

— Ты ничего не хочешь мне сказать?

— Скажу. Лида, я обвиняю тебя в том, что ты меня обманула, в том, что создавала какую-то интригу против Элизы. Я не любил тебя никогда и был прав, считая, что тебе нельзя доверять. Но именно поэтому я не должен был оставлять своего ребенка совсем без внимания и присмотра. Может, тебе станет легче от того, что себя я обвиняю в еще большей степени, чем тебя. Ты узнала ее по пальчикам ног?

— Да. И мочка одна у нее была разорвана еще в десятом классе. Сережку с бриллиантом хулиганы вырвали на улице. Да еще... По всему.

...Он мчался домой, мечтая, чтобы Галины там не было. Ему надо побыть одному. Пережить это, спрятать ото всех. Он узнал, он принял этого ребенка с разными пальчиками. Он почувствовал их детский запах. Он понял, что циничная и коварная Лида права в главном: преступник — он. Если бы он не отказался от своего ребенка, родной крови, девочка не лежала бы сейчас в морге. Это не может быть безнаказанным. Потому и Элизы нет. Где ты, дочка?

Галина была дома. Она встретила его в прихожей, сразу поняла, что вопросов по делу задавать не стоит. Только один, привычный:

— Разогревать обед?

— Пока нет. Ничего нового? — глухо спросил он, раздеваясь.

— В общем, нет. Просто телефон Лизочки заблокирован. Возможно, финансовая блокировка. Она такая рассеянная в этом смысле.

— Прекрати изображать наивную дуру! — закричал он на нее, кажется, впервые в жизни. — Ты что, не понимаешь, что тут все не так, как обычно? Извини. Устал. Пойду ванну приму.

Он ушел в ванную, она стояла долго, сдерживая слезы. Как всегда, ни в чем его не обвиняя. Он прав. Она только изображала наивность. Разумеется, все не так. Ей это понятно, как и то, что сейчас он узнал точно: убита его вторая дочь. Что же ей делать? Пытаться ему помочь или не мешать? Как всегда, выбрала второе. Просто сидела в кухне, сжав руки и ждала: это ведь почти ее профессия. Все застыло. Воздух, время, чувства. Она вдруг взглянула на часы и увидела, что прошло много времени. А он еще не выходил. Она тихонько подошла к ванной, дверь была заперта изнутри. Она постучала, она долго стучала. Потом взяла из шкафчика чемоданчик с инструментами и умело отжала замок. Она все могла делать по дому.

Вода в ванне была алой, у Виталия заострились нос и скулы, на коврике лежали острые маникюрные ножницы.

Глава 20

Сергей вошел в диванную комнату. Ничего лишнего. Все почти скромно, хотя и очень качественно. Идеальное место как для вечера на двоих, так и для небольшой вечеринки. Сергей осмотрел поверхности, стены с картинами — подлинниками в простых рамах из состаренного дерева, светильники, бра. Повернулся к Игорю, который ходил за ним по пятам.

— Видеокамеры последних версий, да? Увлекаетесь? С разных ракурсов? Хобби?

— Вы не поняли, что здесь очень ценные полотна? — вопросом на все вопросы ответил Игорь.

— Как следователь могу заверить, что при ограблении следствию было бы достаточно двух камер. Или даже одной. Так что мы имеем дело либо с индивидуальным вкусом к таким вещам, либо, простите, с диагнозом. Вы никогда не обращались к психиатру? Поймите, Игорь, я не обижаю вас. Почему-то люди именно этот вопрос считают оскорбительным. На самом деле ответ многое объясняет, как правило.

— Я никогда не бывал у врачей. И, как видите, вполне здоров, не кусаюсь, справляюсь с достаточно серьезной работой. Увлекаюсь техническими новинками, почему нет? Я предпочитаю технику живым охранникам, которые могут напиться и сами все разворовать.

— Логично. Меня немного удивило количество, о чем я и сказал. Но теперь все нам в помощь. Вы сами отдадите мне видеоматериал или попросить ребят? Я вижу... Ох, где я только их не вижу! Я просто хожу на выставки подобной техники. И встречал и такие типа клипсы на гардине, и такие божьи коровки на потолке... Тяжело снимать. Потолки высокие. Стремянки, конечно, есть?

— Да. Я покажу, где они находятся. Просто такой момент. С камерами ковыряйтесь, конечно, сами, но ваши люди сейчас роются везде. Они, то есть вы можете потребовать у меня ключи от сейфов, найти тайники с секретными финансовыми документами фирм. Из ордера на обыск не вытекает, что я обязан это все показывать. Вы занимаетесь расследованием убийства, не так ли?

— Вообще-то рядом с документами фирмы или деньгами в сейфах и тайниках может быть то, что даст нам какую-то информацию для расследования. Да, вы обязаны показать все. Хотя бы по той причине, что отказались давать какую-либо информацию о пребывании у вас Элизы, других людей в ту ночь.

— Убитая девушка — не Элиза. Не понимаю, почему вам дали ордер. Вообще-то это произвол. Я непременно пожалуюсь.

— Убитая девушка — сестра Элизы. И она где-то надела ее одежду. Элизы нет, следов мы не нашли пока, а ночь она провела у вас. Вы по-прежнему будете меня убеждать в том, что нам надо искать следы в другом месте?

— Значит, убита Лера и она — ее сестра? Я не знал. Они мне не сказали. В общем, теперь вы их увидите, конечно, на видео. Да, Лера приехала вечером, предварительно позвонив Элизе. Так бывало не раз. У нее постоянно что-то случалось: то деньги украли, то ключи от квартиры потеряла. Один раз она ночевала у меня в гостевой комнате по этому поводу. Отдельно от нас! Меня в принципе не интересует групповой секс, а Лера к тому же мне не нравилась. Тряпки Элиза ей постоянно отдавала: у них на самом деле очень похожи фигуры, так что я верю, что они сестры. Но во всем остальном они очень разные, я не мог понять, что Элизу с ней связывает. Я считаю, что родство — не повод для постоянных встреч.

— Вот видите, насколько все становится проще, когда свидетель, которым вы однозначно являетесь, идет на контакт. Мы знаем, что Валерия у вас была, она оставила салфетки в вашей корзине для мусора под зеркалом. Там отпечатки ее пальцев в креме и губ: она промокала помаду. Извиняюсь, мы прихватили кое-что. До получения ордера вы бы точно выбросили. Потому нам нельзя быть бюрократами.

— Так... Что касается свидетеля. В тот вечер она приехала с мужчиной. Я разрешил, потому что Элиза сказала: «У Леры опять что-то случилось». И вдруг она появляется с каким-то типом, который сразу повел себя развязно. Я не люблю посторонних людей дома. А Валерия вообще показалась мне нетрезвой. Короче, мы с Элизой поссорились из-за них. И они уехали вечером, а не утром! Просто Элиза попросила меня сказать матери, что провела ночь у меня, а утром уехала в институт. Я сделал так. Поскольку я не знал, что убита Лера, я просто не собирался с вами общаться на эту тему... Есть люди, которые хотят меня подставить по любому поводу. Но это не так легко, не надейтесь.

— Мне опять бить себя в грудь и убеждать вас, что я никем не нанят? Как они были одеты, когда уходили?

— Лера была одета, как приехала. Кожаное пальто в каких-то меховых узорах. Безвкусица. Элиза надела свое пальто с капюшоном. Взяла какие-то свои вещи из шкафа в спальне.

— У вас там тоже видеокамеры?

— Слава богу, нет. Не хватало, чтобы вы все это разглядывали! Потому и нет, что я и сам не созерцатель и не хочу, чтобы в мою спальню заглядывали ни в каком случае.

— И поэтому ничего ценного у вас там нет, так?

— Совершенно верно.

Сергей достал телефон:

— Ребята, ситуация сильно меняется. Игорь Валентинович сообщил ключевую информацию. Вы сейчас снимете видеокамеры там, где нужно, и начинаем работать по новому фигуранту. Мы его увидим. Пройдите, пожалуйста, в диванную. Это за холлом и гостиной на первом этаже.

Пока сотрудники работали, Сергей с Игорем вышли в гостиную, сели рядом в кресла.

— Как звали этого мужчину? — спросил Сергей.

— Понятия не имею. Я был раздражен и знакомиться с ним не собирался. Он, впрочем, и не подумал представиться.

— Но девушки как-то к нему обращались?

— Как-то по-дурацки. Ник или Стик, или Стив... Не помню.

— То ли Николай, то ли Степа, то ли еще тысяча вариантов. Игорь, почему Элиза уехала с ними? Только потому, что вы поссорились?

— Раз ее сейчас нигде нет, значит, этот спектакль был придуман для меня. Лера решила помочь сестре уехать от меня.

— Вы считаете, что Элиза поехала к этому Нику-Стику?

— Вряд ли. Это тип для Леры, а не для Элизы. Скорее всего, они взялись ее отвезти к тому мужчине, у которого Элиза сейчас.

— Вы уверены в том, что с ней все в порядке?

— А что с ней может быть не в порядке? Это ее порядок — менять мужчин.

— Ее отец считает иначе. Он подозревает мать Валерии в том, что она хотела избавиться от Элизы. Чтобы Валерия стала единственной наследницей.

— Тьфу ты! Только сейчас понял, что за сестра. Я думал, какая-то двоюродная-троюродная. А это внебрачная дочь Виталия?! Тогда действительно все может быть. Он просто не мог не попасть в подобную ситуацию с этими вечными бабами на стороне. Но почему убили Валерию?

— Могли перепутать. Сзади сестры очень похожи.

— Да, история...

Игорь замолчал, а Сергей внимательно посмотрел на его лицо. Оно стало совсем отрешенным, глаза прищурены. Как будто считает свои деньги и рассматривает свои «секретные материалы». Надо узнавать, насколько он заинтересован в разорении Виталия Никитина. Они ведь как будто конкуренты. Виталий попал в большой переплет, это легко использовать конкуренту. Сергею позвонили. Он послушал, сказал, что скоро выезжают. Потом медленно произнес:

— Игорь Валентинович, Виталий Никитин обнаружен с перерезанными венами. В ванне.

— Он умер? — оживленно и по-деловому спросил Сечкин.

— Пока не известно. Увезли без сознания в реанимацию.

Глава 21

Лида Сикорская металась по квартире в смятении. Она не могла ни думать, ни зафиксировать себя на одном месте. Она пила коньяк, кофе, хватала телефон, бросала его тут же, начинала куда-то собираться, потом швыряла сапоги в прихожей, не глядя, и возвращалась к бегу по комнатам. Наконец появилась четкая мысль: «Он даже не позвонил». Кого она имела в виду: Виталия или своего гражданского мужа Стива, — она сама не знала. Да, в общем, оба не позвонили.

Мысль ее остановила. Она упала без сил на диван, вспомнила все страшное, что произошло с нею в этот день, и, спасаясь от понимания того, что Валерии больше нет, начала судорожно думать о том, что делают в таких случаях. Практически. Первое, что пришло в голову, это одежда. Черное платье, черный платок. Разумеется, все это есть в их с Валерией гардеробной. Просто нужно искать — там куча тряпок. Вспомнить, конечно, ничего не может. Порядка у них там нет, надо рыться. Ей часто нравились в бутиках Москвы и в магазинах за границей элегантные черные платья. Когда мерила, вроде все было отлично, а дома понимала, что черный цвет ей не идет. Она казалась себе похожей на хмурую ворону. Хотя Стив иногда настаивал, чтобы она надевала на какой-то прием маленькое черное платье. Он, как многие, думал, что это очень благородно. А Лида знала, что ее шарм не в том, что воспринимается как изысканность и благородство, а, наоборот, — в броскости и капельке вульгарности. Она сама нашла это сочетание: образ греческой богини и грешницы, чуть-чуть вульгарной или доступной, кому как нравится. Нравилось многим. Странно: темно-синий, к примеру, цвет не гасил ее броскость, а черный ее просто глушил.

— Так, — встала Лида. — Надо искать черное платье и платок.

Она быстро вошла в гардеробную и начала в прямом смысле раскопки. Все их вещи не могли поместиться на вешалках трех огромных шкафов, поэтому очень много было свалено в кучу внизу — в пакетах и без, чаще всего это были вещи новые, неношеные, с этикетками. Валерия, конечно, была просто помешана на тряпках. Для нее всегда было главным количество, а не качество. Ну, и, разумеется, все, что ей отдавала Элиза, казалось ей верхом совершенства. И она раздраженно отмахивалась, когда Лида говорила ей, что Элиза покупает почему-то ширпотреб из синтетики. Мило, модно, но это есть у всех.

— Да что ты понимаешь, — отвечала Лера. — Это демократично, со вкусом, в общем, супер. Мы с тобой можем Рим пройти, а ничего такого не найдем. Понимаешь, в чем дело? Элиза может найти уместную вещь, а мы — нет.

Лида понимала одно: ей не удалось передать своей дочери ненависть к дочери Виталия. Как она ни

старалась. Не просто не удалось. Ей иногда казалось, что Элиза для Валерии больший авторитет, чем
она сама. Так оно и было наверняка. В чем тут дело?
В том, что это старшая сестра, или в том, что это
законная дочь отца, который не признал младшую?
Конечно, второе! Любовь к Элизе Виталия сделало
ее в глазах Валерии высшим существом. Почему-то.
Лидия так и не успела узнать, испытывает ли ее дочь
ревность к Элизе. А ведь Лида именно это и хотела
в ней воспитать, когда показывала Виталия со стороны, что-то нелестное о нем говорила. Она для того
отдала Валерию в гимназию рядом со школой, где
училась Элиза. Чтобы она видела, как отец, который
бросил ее младенцем, радостно встречает, целует и
обнимает другую дочь. Они с Лерой должны были
восстановить справедливость. А получилось вот так...

Лида достала красивую упаковку с очередным ма-
леньким черным платьем. Это она даже не вынимала
ни разу. Распаковала, посмотрела: красивое. Достаточно строгое, но не убогое, не суровое. Такое можно
надеть и на прием, и на похороны. У скромного асим-
метричного выреза небольшой волан с одной стороны. Очень необычно. Должно быть облегающим. Сзади молния практически по всей длине. Само платье
чуть выше колен. Хорошо ли это? Да почему нет...
Лида быстро сняла джинсы, осталась в майке и кол-
готах. Натянула платье снизу, влезла в рукава. Но,
господи боже мой, такие платья должен кто-то за-
стегивать сзади. Одной не справиться. У нее взмок
лоб, так долго она билась с этой молнией. Платье
обтягивающее, молния цеплялась то за колготки, то

Евгения Михайлова

за майку. Она с трудом расстегнула то, что смогла застегнуть, сбросила платье, затем разделась догола и начала сначала. Да, фасон точно не рассчитан на женщину, которую все бросили в самый трудный час. Для того чтобы застегнуть эту чертову молнию, руки должны быть до колен. У нее, к счастью, все пропорционально. Но, к несчастью, рядом нет мужчины. Но Лида справилась сама, платье обтянуло ее аккуратную, красивую фигуру. Лида задумчиво смотрела в зеркало. Как странно. Это первое черное платье, которое ей не просто идет, оно ее изменило. В ней сейчас нет вызова, броскости, но есть та самая изысканность, о которой бредит постоянно Стив. Лида вообще не понимала, что это такое: для нее женщина или выглядит соблазнительно, или это пустое место. А сейчас она выглядела и соблазнительно, и утонченно, как никогда в жизни. Как будто судьба над ней издевается. Она потеряла дочь, человек, с которым она живет, отказался прервать свой отпуск, чтобы поехать с ней на опознание. Он отправил ее в ад одну. А тот, благодаря которому и родилась Валерия, взглянул мельком на ее фотографии и сбежал! Он сбежал от нее! В такой день!

Лидия сорвала с себя платье, посмотрела в зеркало на свое обнаженное, крепкое и желанное для нормального мужчины тело. И силы ее кончились. Она взвыла, как раненая волчица. Она поняла главное. И это главное оказалось ужасным открытием. Лида справилась бы со смертью дочери, если бы... Если бы это вернуло к ней Виталия. Она безумно хотела, чтобы он остался. Когда ей удалось привести его в эту квартиру, она надеялась, что он с ней будет. Что они лягут в ее постель, что он утешит ее одним способом, с какого началось существование Леры на этом свете. Она бы сумела его опять приворожить. Она бы его не отпустила. Вот в чем ужас: он ей по-прежнему нужен больше всех других людей на земле, включая дочь. Вот за это она его ненавидела столько лет, а сейчас ненавидит еще больше.

Лида выскочила в гостиную, схватила телефон, набрала его номер и, не дожидаясь ответа, прохрипела: «Подонок».

— Кому вы звоните? — услышала она ровный и мелодичный женский голос. — Впрочем, я поняла, кто вы. Лидия Сикорская. Приношу вам свои соболезнования. А Виталия нет. Его увезли в реанимацию. Он пытался покончить с собой.

— Он умер???

— Он еще жив, но шансов мало. Очень большая кровопотеря. Практически исчерпан ресурс, так сказал врач. Извините, я не могу занимать телефон.

Две женщины в разных квартирах без близких людей горько рыдали всю ночь. Они не хотели жить, раз от них уходят все. Утром Галина получила слабую надежду. Ей сказали по телефону, что Виталий по-прежнему в тяжелейшем состоянии, но он жив. А Лидию, обнаженную, с опухшим лицом, растрепанную, нашел на полу спальни вошедший в квартиру Стивен. Рядом с ней валялись бутылки от спиртного и пустые упаковки снотворного. Он потряс ее, поднял, голова не держалась, глаза не открывались. Стив притащил ее в ванную, положил на коврик, затем пошел на кухню и взял из холодильника три бутылки молока, вылил все в большой кувшин с узким горлышком, разбавил водой и вливал в нее до тех пор, пока не началась рвота. Потом пошел наполнять кувшин вновь. И так до тех пор, пока она, дрожащая и мокрая, не открыла глаза и не начала что-то соображать.

— Я не думал, что ты такая слабачка, — резко сказал он. — Травятся только психопатки.

— А убивают только их дочек, — невнятно проговорила Лида.

Он включил горячую воду и велел ей: «Приведи себя в порядок. Помойся как следует и почисти зубы».

— Есть! — просипела Лида. — Я, конечно, плохо пахну. А ты хорошо. Новый парфюм. Эй, подожди. Ты ведь приставал к Лерочке! Я пару раз что-то странное замечала. Потом вспомню, что. Когда мозги соберу.

— Идиотка. Зря я тебя откачивал. — Он хлопнул дверью.

Глава 22

Там-та-там-та-там-та-там... Та там-та там... Та-там-та-там...

Артем сразу широко открыл глаза, приподнялся на локте. Что это было: неужели такой четкий музыкальный сон или в квартире где-то звучит мелодия «К Элизе»? Но мелодия продолжала звучать, и не просто в квартире, а именно в его комнате. Его телефон! У него были друзья или девушки, которые для него подбирали мелодию. Этой не было! Он взял телефон с тумбочки, медленно и долго смотрел на него, не нажимая «ответ». На определителе было написано «скрытый номер». Наконец он ответил «Да». Он так вдруг понадеялся услышать голос Элизы, но не услышал ничего. Молчание. Потом отбой. Так, может быть, кто-то ошибся в цифрах, устанавливая именно эту мелодию своему контакту, а потом даже не сказал: «Извините, я ошибся»? Конечно, бывает. Только не в той ситуации, в какой находится Артем. Точнее, это могло быть и в такой ситуации, просто ему трудно поверить в подобное совпадение. В комнату заглянула мама:

— Можно, сынок? Доброе утро. Мне показалось...

— Тебе не показалось. Мне кто-то позвонил мелодией «К Элизе». Скрытый номер. Молчали.

— Тебе когда-то звонила Элиза?

— Когда-то звонила. Пару раз. На день рождения приглашала. Как-то меня с днем рождения поздравила.

— А ты ей звонил?

— У меня в этом телефоне номер, которого уже давно не существует. Она уже сто телефонов, наверное, поменяла с тех пор.

— Но контакты все равно переносят в новый аппарат. Я имею в виду, что теоретически она ведь могла так поступить. Просто от хорошего настроения позвонить однокласснику, приятелю...

— Она не считала меня приятелем.

— Ты забыл. В младших классах вы были очень дружны.

— Я не забыл, просто это уже не в счет.

— Давай не путаться в понятиях. Ей захотелось позвонить человеку, который хорошо к ней относится. И она точно знает, что ты любишь эту мелодию. И внесла ее для твоего номера...

— А свой скрыла и молчала. В чем тут прикол, мама, тебе понятно?

— Ну, к примеру, дать знать о себе. А номер скрыт — ну, может, она сейчас находится рядом с ревнивым мужчиной... Гадать бессмысленно, Артем. Слишком много неизвестных. Я подумала о другом. Если это не она, то...

— То это тот, кто меня подставляет, да? И зачем звонить? Что он или они узнали?

— Мне больно об этом говорить, но ты сам понимаешь, что если ты станешь обвиняемым, то будет психэкспертиза. Твои показания: сон, когда она уходит под эту мелодию, звонок ни от кого с этой мелодией, сам факт влюбленности в эту мелодию... Это при желании можно выдать за маниакальность, которая все объяснит, что нужно следствию.

— Ты считаешь, меня кто-то пасет?

— Я это не исключаю. И если мы сами начнем в чем-то разбираться, бороться, то выходит... выходит, что ты в опасности. Есть методики, которые позволяют полностью восстановить твою картину той ночи. Пока мы имеем только эти улики, найденные следствием, в каждой из которых кто-то профессионально должен разбираться отдельно. Но от следствия трудно этого ожидать. Ничего плохого не хочу сказать, мне нравится Кольцов, но у них поток. Если мы допустим самодеятельность, то случайно можем что-то узнать, восстановить, но это слишком большой риск.

— Сами мы и не справимся. Я уже голову сломал: кому могло понадобиться именно меня подставлять. Я вообще ни при чем в ее жизни. Мама, мне плохо на душе. Мне кажется временами, что я настолько никому не нужен, что на самом деле убил девушку, считая ее Элизой. Может, тот, кто видел, как я это сделал, просто издевается?

— Артем, если бы это все происходило не с тобой, ты сумел бы выстроить строгую теорию. А так ты постоянно противоречишь самому себе. Короче, больше нельзя оставаться пассивными. Но и нарываться на возможных преступников нельзя. Я звоню насчет продажи рояля и Кольцову насчет адвоката.

— Мам, он же сказал, что это дешевый адвокат. Оставь рояль пока в покое. Мне его как-то жалко стало.

— Элиза на нем играла, тебя слушала... Ох. Как же тебя угораздило?!

— Да уж! Мама, но ты согласна, что я никому не нужен и никому не мешал?

— Конечно, не согласна. Ты нужен нам, друзьям, девушкам, в каком-то отношении даже Элизе, потому что ты хороший, красивый мальчик. Но в том смысле, чтобы тебя так подставлять, убирать с пути, конечно, — нет. Не могу себе представить такого человека. Но дело ведь в другом. Раз есть убийство — должен быть убийца. Знаешь, после этого звонка мне кажется, что тебя просто назначили на эту роль. Ты подошел. Так настоящего убийцу никогда не найдут, если мы сдадимся. Так я звоню Кольцову?

— Звони. — Артем вдруг улыбнулся. — Чего не узнаешь о родной матери?! Тебе, оказывается, нравятся такие ковбои. Он как из киношки. Папа у нас совсем другой. Нормальный такой, домашний папа.

— Слава богу, — выдохнула Ирина. — Ты приходишь в себя. С тех пор как случилось это несчастье, я поняла, каким счастьем был твой ежедневный и безмятежный треп. Полежи еще, поспи. Я позвоню, приготовлю завтрак. Я даже на рынок ездила за продуктами.

— А почему ты не на работе?

— Отпуск взяла за свой счет.

— Из-за меня???

— Да нет. Ты же никому не нужен, — Ирина поцеловала сына и ушла. Артем вдруг облегченно вздохнул и зарылся с головой под одеяло. Он, конечно, не трус и мужчина уже взрослый, но с мамой в беде гораздо легче. Тем более с такой. Она — хороший ученый, так все говорят. В ее теориях каши, как у него, быть не может. И чутье у нее есть. Если Кольцов хочет впарить им «подсадную утку» в качестве адвоката, мама поймет. Тем более речь шла о женщине. А понять женщину может только женщина.

Глава 23

Сергей Кольцов вскочил утром, как всегда в последнее время, в тоске и недосыпе, с жалостью посмотрел на сладко сопящего у его кровати белого ретривера Мая, который является откровенной совой и не любит, когда его будят, — и вдруг вспомнил: сегодня пятница, а он по пятницам работает дома за компьютером, со своими информаторами, в общем, как хочет. И у этого бывает результат, потому что в отделе все же не работа, а бег белки в колесе. Поскольку он все вспомнил, то аккуратно залез обратно под одеяло и сказал Маю, открывшему сонные глаза: «Спи». Что тот мгновенно и сделал. А Сергей, перед тем как уплыть в блаженный утренний сон (только человек, работающий по ночам, понимает, какое это счастье), задумался о том, является ли издевательством над белкой это колесо. Она ведь думает, что куда-то прибежит. У нее есть цель. Сергей любил и жалел животных, поэтому выбрал щадящий ответ. Колесо для белки — тренажерный зал, и она об этом знает.

Теплый сон принял его как родного. Может, он даже немного поспал, но звонок телефона был беспощадным. Звонили долго, настойчиво. Понятно, что по делу. Счастливое утро пропало.

— Кольцов слушает, — постарался сказать он четко и бодро.

— Доброе утро. Это звонит Ирина Васильева. Мне кажется, я вас разбудила. Может, мне позвонить позже?

— Здравствуйте. Да нет. Разбудили так разбудили. У меня домашний день. В смысле — работаю дома. Так что кто-то должен был меня разбудить, раз мой пес любит спать до полудня, Я вас слушаю.

— Понимаете, Сергей Александрович, и у меня, и у сына есть ощущение, что его кто-то подставляет.

— Давно у вас появилось такое ощущение?

— Я понимаю ваш вопрос. Мы были так ошеломлены тем, что произошло, — нас просто поставили перед фактом, — что мы как факт это и приняли. Практически согласились с тем, что Тема совершил преступление и забыл об этом. Сейчас, когда мы немного пришли в себя, подумали, мы синхронно пришли к выводу, что тут не все однозначно. Я — биолог, физиолог, я пытаюсь проанализировать ситуацию в том виде, в каком мы ее получили от вас, и прихожу к выводу, что этого не могло быть. Так это не могло быть.

— Не обижайтесь, но я не встречал ни одной матери, которая сразу бы нам поверила... Впрочем, я готов, конечно, выслушать ваш анализ... Но, может, не сейчас? Не по телефону?

— Деталей и обстоятельств так много, я не собиралась все это рассказывать сейчас. Мы вообще решили с сыном сами восстановить ту ночь. Но сегодня мне показалось, что, если сын начнет искать правду, он может пострадать. Его могут даже убить.

— Что-то произошло?

— Ничего страшного в принципе. Но... В общем, Артему на его телефон позвонили с мелодией «К Элизе». Номер был скрытый. Молчали, потом — отбой. Никто из его друзей и подруг не пользуется этой мелодией.

— А Элиза?

— Она вообще ему звонила пару раз. Это у него один и тот же телефон не помню, сколько лет. А она за это время сменила множество аппаратов, номеров, наверное, мелодий. И потом он для нее — никто, чтобы так себя повести. Она родителям не звонит. С какой стати ему... Их ничего не связывает.

— Кроме его любви, как он, вы и все остальные свидетели об этом говорят.

— У него это практически виртуальное чувство, не имеющее никакого отношения к действительности. У нее своя жизнь, очень насыщенная. Я считаю, что это нереально. Реально другое. Тот или те, кто подставил его на роль убийцы, продолжают следить за ним, стараются держать в постоянном стрессе и... Мы не справимся. Вот о чем я. Вы говорили о приличном адвокате, я хотела бы встретиться.

— Говорил, — задумчиво произнес Сергей. — А сейчас засомневался. Я вообще свою жену рекламировал. Она по первому образованию физик, потом закончила юрфак, но опыта мало. То есть она давно и здорово помогала мне там, где нужна интуиция. Но в процессах участвовала всего пару раз. Неплохо. Но дела были не настолько сложные. Кроме того, вам требуется, чтобы адвокат вас направил в собственном расследовании. Думаю, для нее это слишком запутанное дело.

— А на самом деле: вы не боитесь потерять единственного подозреваемого?

— Он уже не единственный. Просто пока нет по другому ничего. Я как раз и собирался этим заниматься. Давайте так, Ирина. Я скажу Насте, своей жене, об этом деле. А дальше будет так. Если ей покажется, что Артем убил Валерию Никитину, она наверняка откажется. Она не считает себя настолько профессионалом. Профессионал защищает в любом случае. Тогда вам нужен кто-то покруче.

— Но я могу с ней встретиться?

— Конечно. Она сейчас повезла сына в школу. Вернется — я ей скажу. Она вам позвонит. Насчет вашего ощущения опасности. Это серьезно. Чуть что — звоните. История с этим звонком странная. Она ему не приснилась?

— В том-то и дело, что это выглядит как его маниакальность. В чем, возможно, и смысл. Но я слышала!

— Хорошо. До созвона.

Сергей положил телефон, сбросил одеяло, сел на кровати и потрепал пушистую голову Мая. Тот преданно и радостно уставился карим взглядом.

— Ты понимаешь, — объяснил ему Сергей, — Настя хочет серьезное дело. Я взял и брякнул им, как-то не очень подумал. Но она же так увлекается. Втянется, и наша с тобой жизнь станет адом. Оно нам надо?

Май улыбался и даже прерывисто вздохнул от восторга. Он очень любил, когда с ним советовались по всем вопросам.

Глава 24

Галина сидела на стуле рядом с кроватью Виталия, держала его забинтованную руку, с ужасом смотрела на синевато-белое лицо, черные тени под глазами. Они были закрыты, но ресницы вздрагивали. Галине сказали, что он пережил ночью клиническую смерть!

Она гладила его ладонь, его пальцы слабо шевелились в ответ. Почему он не открывает глаза? Он так слаб. Нужно как-то начинать его вытаскивать. Она принесла бульон и гранатовый сок, купила поильник в аптеке. Осталось уговорить. И что-то сказать — легкое, будничное, домашнее. Спокойным и даже веселым голосом. Разве у нее нет причин если не для веселья, то хотя бы для хорошего настроения? Ее муж выжил! Дальше многое зависит от нее, может быть, все. Ее радость — это неслучившееся великое горе.

— Ты представляешь, Виталик, без тебя у меня как-то все сломалось. Микроволновка, соковыжималка. Лампочки в разных местах перегорели. И некогда было что-то везти в ремонт, исправлять. Лампочек дома не оказалось вдруг. Я съездила только на рынок, купила курицу и гранаты. Сварила бульон, хороший, крепкий, как ты любишь. А потом порылась в своих кладовках и нашла ручную сокодавилку. Практически антиквариат. Вроде бы даже медная. Бабушкина, наверное. Я ее почистила, помыла, стала давить сок из гранатов... Все получилось, конечно, но хорошо, что ты не смотришь на мои руки: ногти как будто грязные... Тебе тяжело смотреть? Слабость? Глаза болят?

У него вздрогнули губы, но он ничего не сказал. Галя впадала в панику. Она читала ночью в Интернете, что бывает при большой кровопотере. Почечная недостаточность, проблемы с печенью, потеря зрения, уход в кому... Они ей не сказали ничего конкретного, кроме того, что поддержали сердце. Может, он ослеп, может, уходит в кому? Она склонилась к его лицу, прикоснулась губами к его холодному рту, прошептала: «Виталя, ты не сделаешь это. Ты не уйдешь. Раз не получилось, значит, надо жить. И я без тебя не могу». Он открыл глаза, и она все поняла. Он боялся, что прольются слезы. И они полились по его лицу, шее, она ловила их губами, как дождь. Пусть. Значит, страдание не сожгло его душу. Она плачет. Она жива...

— Я знаю, — сказала Галя. — Ты думаешь, Элизы нет. Ты был потрясен гибелью Валерии. Ты себя обвинил. Мне нечем тебя утешить. Я ничего не узнала. Просто я мать. Мне не кажется, что с Элизой все хорошо. Наоборот: я почти уверена, что с ней что-то случилось. Но! Она есть! Девочка жива, как ты не понимаешь, что я бы почувствовала обрыв связи?! Вы оба с ней такие полноценные, независимые, со своими тайнами и проблемами, а я — ваша тень. Я приросла к вам. Я — и есть ты и Элиза. Не стесняйся. Плачь. Ты так возвращаешься. Я тоже плакала дома, к утру нашла в Интернете стихотворение ребенка. Сейчас возьму планшет, прочитаю.

Галина быстро открыла сумку, достала планшет и прочитала:

Взрослые плачут слезами.
Взрослые плачут глазами.
Маленькие плачут сердцем,
Маленькие плачут жизнью.
Но если взрослый плачет, как маленький,
Значит, он и правда плачет.

Марик, 4-й класс

— Какой Марик... гениальный, — тихо проговорил Виталий. — Галя, извини, я так слаб, как будто только что родился. И мне так же неуютно пока на земле. Наверное, улетал действительно. Ты хорошо говорила... чтобы меня успокоить. Но мне нужно тебе поверить. Да, раз не получилось... Стыдно это...

— О чем ты!

— Стыдно, не по-мужски. Но теперь надо искать дочь.

— Теперь нужно поправляться. Ты рукой шевельнуть не можешь. А тем временем Элиза появится сама. Как обычно.

Виталий сделал несколько глотков бульона, немного выпил сока. Галя остальное отдала санитарке, очень чистенькой, аккуратной женщине непонятного возраста с голубыми глазами, как будто омытыми росой. Та взяла пакет, сказала, что будет давать понемножку, бульон у себя в подсобке разогреет.

— Что тут происходит! — раздался резкий, неприятный голос рядом с ними. — Лена, ты куда собралась это тащить? Я сколько раз говорила: ничего не надо брать у родственников. Здесь реанимация.

— Но у нас нет ни куриного бульона, ни гранатового сока, — мягко сказала санитарка.

— Может, это не твое дело?

Перед ними стояла коренастая медсестра с таким лицом... Галина подумала, что с таким лицом можно быть надсмотрщицей в концлагере, но не медсестрой. И ей впервые в жизни захотелось сказать это. Но... Виталий. Галя молча взяла из рук Лены пакет, улыбнулась мужу и вышла из палаты. Она знала, чем

Евгения Михайлова

сейчас займется. Как это кстати. Ее эмоциям нужен выход. Она найдет зав. отделением, она найдет главврача, министра, в конце концов. Но она уволит эту гадину за то, что та пользуется беспомощностью своих пациентов. Это платное отделение! И вдруг такая откровенная садистка. Она наверняка испугала Виталия именно в тот момент, когда ему показалось, что он только что появился на свет. И так оно и есть. Он вернулся из мрака. И он попросил помощи! Рядом с ним должны быть добрые люди, а не надсмотрщики. У лифта Галю сзади взял кто-то легко за локоть. Это была Лена.

— Давайте вашу сумку. Я все сделаю. Вы, наверное, уже собрались жаловаться на Татьяну?

— Не жаловаться, а уволить. То есть потребовать уволить. Что за вид, что за тон, что за правила в ущерб больному!

— Вот так получилось. Хороших сократили, эту оставили. Она, конечно, никому не нравится. Нет, она свою работу нормально делает, но злая. Но вы не беспокойтесь. Я все сделаю, муж ваш будет это пить и поправляться, а потом и переведут от нас.

— Но она же сказала...

— Мало ли что она сказала! Сейчас процедуры сделает, выпьет и перестанет приставать.

— Что-что сделает? Выпьет?

— Ага. Хлопнет спирта. Но до процедур — никогда!

— Какое благородство, — рассмеялась Галина. — Спасибо, Лена. Давайте телефонами обменяемся.

По дороге домой Галина поменяла свои планы. Раз до процедур эта мегера не пьет спирт, лучше на

нее время не тратить. Звонить надо, но по другому
поводу. И как можно быстрее забирать домой. Найти хорошую сестру — не проблема. Все дома сделает, и хлопнуть ей ничего не потребуется. А эта... Да, собственно, Гале нужно просто один раз показать и рассказать, она сама справится. Завтра Галина просто проверит, нет ли от нее неприятностей и вреда. Если нет, пусть продолжает ненавидеть весь свет за то, что такой уродилась. Если вред будет, — ответит. Виталик может говорить, есть, он видит, не жалуется на боль... Он будет жить. Элиза, где ты? Неужели ты ничего не чувствуешь? Что творится из-за тебя?!

Глава 25

Настя слушала Сергея очень внимательно. Он сидел на диване, нервничал, курил, потому что не смог, как собирался, изложить дело так, чтобы она отказалась сама и сразу. Это было бы просто. Он уже придумал, как в нескольких штрихах описать неполноценного парня, который не влюбился, а просто тупо возжелал девушку, а она его практически не замечала. Как он, пользуясь любым поводом, разжигал в себе ненависть и ревность. Пил, нюхал кокаин, потом встретил эту девушку в своем сквере, диким способом убил, увидел, что ошибся — он убил ее сестру в ее одежде, — и теперь работает в жанре амнезии: вроде бы ничего не помнит. Но девушку, которую он любил, надо искать и среди живых, и среди мертвых. Он мог убить обеих, у него было время избавиться от одного трупа... В общем, Сергей мог изложить так, чтобы Настя отказалась: защищать маньяка — задача ей не по плечу и не по душе. Мог, но не изложил так. Что помешало... Наверное, чертов профессионализм. И ее честные, бархатные, карие глаза. Не получилось, короче. Он изложил скупо, но как есть. Может, маньяк, может, попал в страшный переплет. Слишком много прямых улик, что характерно для подставы.

Сергей посмотрел на жену. Настя сидела на стуле напротив него, сложив, как школьница, руки на коленях. Будто слетела с полотна старинного большого мастера. Прекрасное, ясное лицо, идеальные руки с тонкими пальцами, а ведь она не ходит к косметологам, и домработницы у них нет. Этими руками она моет пол, посуду, стирает, готовит. Не живет в шоколаде его королева. И он ее, по сути, втаскивает в риск и грязь криминала. Да этот симпатяга Артем может оказаться не один и не в одном преступлении. Сейчас не плюнешь, чтобы не попасть в ОПГ. Нет, Насте это дело не нужно. Когда Сергей предлагал, все выглядело иначе. Сейчас много плохих обстоятельств. И если это правда — насчет звонка с мелодией «К Элизе», то кто-то очень опасный находится рядом с этим Артемом. Его могут подставлять соучастник или соучастники, к примеру.

— Короче, я хочу тебя попросить. Исправь мою глупость. Позвони матери Артема и откажись. Скажи, что у тебя другое дело. Или — что еще лучше, — что ты неопытная и не справишься. И это правда. Ты согласна?

— Дела у меня сейчас никакого нет, врать я не буду. С тем, что я неопытная, согласна, конечно. И могу не справиться.

Настя замолчала и посмотрела Сергею в глаза. На самом деле они так продолжали разговор. И когда Сергею показалось, что она вытащила из него уже все самые эгоистические и противные мысли, он спросил:

— И почему ты смотришь на меня такими карими глазами?

— Тебе покажется несерьезным. Но я подумала о том, что наш Олежек станет взрослым, ему понадобится чья-то помощь, а все люди подумают, что им удобнее ее не оказывать. Я позвоню матери этого парня, встречусь с ней, она увидит и поймет, что я недостаточно опытная. Пусть откажется сама.

— Пусть, — с сомнением произнес Сергей. Он бы никогда не отказался от такого адвоката. Не только потому, что он мужчина, не потому, что до сих пор влюблен, а потому что Настя — настоящая, в ней есть чутье, сострадание, интуиция... Но она не сильная. За неудачей последуют тоска и депрессия. С таким несчастливым клиентом она может попасть по полной программе. Но дело сделано. Он обещал, он ей рассказал, решение за ней. И есть еще один простой выход. Она вернется и скажет: «Этот парень — убийца». У нее очень тонкая кожа, она чувствует людей, как никто...

Настя позвонила Ирине, сказала, что им лучше встретиться на нейтральной территории. Пока вопрос с ее участием не решен в принципе, наверное, не стоит представляться Артему. А у нее самой в небольшой квартире слишком весело и шумно сейчас будет. Сына муж привезет из школы, будут бурные игры с собакой, в которых муж примет активное участие. Дома Сергей совсем не следователь. И, главное, он хочет, чтобы каждая из них двоих приняла самостоятельное решение. Без него.

— У меня практически нет опыта, — сказала Настя.

— Я в курсе, — ответила Ирина.

Они встретились в гипермаркете, зашли в уголок маленькой, тихой кофейни. Ирина пришла раньше, заказала кофе и пирожные. Обе пили кофе, до пирожных не дотронулись. Ирина просто рассказывала о сыне и об Элизе. Об убийстве они вообще не говорили: ни у одной из них не было об этом информации. Им было интересно говорить друг с другом. Мать Насти — ученый-фармаколог, Ирина — биолог и физиолог.

— А я физик, — сказала Настя. — Потом юридический.

— А зачем?

— Помогала мужу в расследованиях. И мне показалось, что работа адвоката важнее сейчас, чем физика. Жертв правосудия едва ли не больше, чем жертв преступников.

— Почему?

— Работать профессионально и честно трудно. Фальсификации и вымогательства стали своего рода бизнесом. А в такой ситуации профессионалы уходят.

— И это говорит жена следователя?

— Мой муж — частный детектив. И он профессионал, просто не зависит от заказов, приказов, бюрократической мясорубки. Но его товарищ зависит. Сережа просто сейчас временно исполняет его обязанности. Он ушел на вольные хлеба из Генпрокуратуры, но остался в резерве. Его привлекают иногда.

— А как с вольными хлебами, извините?

— На жизнь хватает. Сбережений нет. Но мама Сережи говорит, что сбережения — это не интеллигентно. Так что мы не печалимся. И я могу себе позволить быть «бюджетным» адвокатом.

— Что это значит? Сколько?

— Тридцать тысяч рублей максимум.

— Мы можем позволить себе больше.

— Это не имеет значения. За «больше» вы можете нанять опытного адвоката.

— Я одного не могу понять. Допустим, ваш муж предъявляет моему сыну обвинение. И вы выступаете против его позиции?

— Почему нет? Я убеждаю не мужа, а человека, с которым не согласна, и у меня есть в идеале шанс переубедить и его, и суд. Просто между нами пропасть в смысле профессионализма. Так что подумайте. Я тоже пока не приняла решения.

— Конечно. — Ирина задумчиво смотрела на красивую женщину, которая ну никак не похожа на борца. А ведь им нужен борец. Причем не на жизнь, а на смерть. — Приятно было познакомиться, — сказала она и попросила официанта сложить в коробочку пирожные. — Возьмите ребенку, — сказала она Насте.

— Спасибо. Олежек будет очень рад. — Настя поняла, что ее забраковали.

Она шла домой со смешанным чувством облегчения и обиды. В любом случае — виноват парень или нет — им понадобится тяжеловес для защиты. Если бы дело вели не Сергей и его ребята, Артем бы уже сидел в СИЗО и из него выбивали бы признательные показания. А может, даже этого не понадобилось, поскольку улики есть, и он сначала фактически признал свою возможную вину. Сказал, по словам Сергея, что временами хотел убить Элизу. И мог перепутать.

Настя пришла домой. Олежек с Маем выскочили в прихожую на звук открываемой двери, уставились радостно, с ожиданием сюрприза. Сергей смотрел понимающе: он прочитал ее выражение лица. У него отлегло от сердца. Но он уточнил:

— Ну, как?

— Я не подошла явно.

— Прости меня, я сам не думал, что дело окажется настолько запутанным.

— Ну о чем ты! Мне понравилась Ирина. У нас был интересный разговор. Она подарила вам пирожные, ребята!

Был всеобщий восторг, пирожные исчезли. Ребенок и собака, наигравшись, чуть не уснули рядом на полу. Настя увела Олежку в ванную, потом уложила спать. Сама вернулась на кухню и набрала телефон Васильевых. Ответил парень.

— Это Артем? Добрый вечер. Говорит Анастасия Кольцова, юрист, жена вашего следователя. Мы встречались с вашей мамой и решили, что вам нужен другой адвокат. Но можно пару вопросов?

— Да... — не совсем уверенно сказал Артем.

— Ирина мне сказала, что вы — сильный и спортивный парень. У вас, конечно, бывали драки?

— Конечно.

— Вы пользуетесь в таких случаях каким-то предметом? Многие носят кастет, нож и тому подобное?

— Я не ношу. У меня хороший удар кулаком.

— Вам приходилось драться из-за Элизы?

— Да. С собой. Я увидел, как она целуется с мужчиной, и разбил себе руки до костей. О стену, дома.

— А почему вы не подрались с этим мужчиной?

— Мужик-то при чем? Я ненавидел и проклинал Элизу. Покалечил себя на пару недель.

— Ее не хотелось ударить?

— Как ее ударить... Она — мелодия...

— Вы были нетрезвым?

— Я был совершенно трезвым.

— А в пьяном виде вы деретесь?

— Как раз нет. Я не алкаш. Спать хочу.

— А если напиться и таким же по тяжести предметом, который найден с вашими отпечатками, попробовать разбить, к примеру, бревно? Такая у меня странная идея.

— А я это проделал. Купил такую же палку. Выпил бутылку водки. Пытался пробить тумбочку на лоджии.

— И что?

— Упал. Раскоординация.

— Какие мысли по этому поводу?

Евгения Михайлова

— Перепил, не та кондиция, не чувствовал ненависти, болела совесть... Это можно сделать, наверное, с помощью экспертов. Чтобы дали что-то вызывающее агрессию. Сам не справлюсь.

— Эксперт у нас — самый лучший эксперт. Даже если он сочтет вашу идею некорректной, у него достаточно своих методов. Если хотите, можем встретиться. Там, в этом сквере.

— Зачем?

— Попытаться что-то вспомнить. Я не буду вашим адвокатом, но я не люблю нерешенных задач. Сегодня мне рассказали условие, но, как хотите, впрочем.

— Я согласен. Когда?

— Я позвоню.

— А что мы можем узнать в этом сквере?

— Память нужно постоянно использовать, тренировать. А вы позволили себе так надолго впасть в стрессовое и тупое, извините, состояние. Вы ненавидели и проклинали Элизу, когда видели ее с другим мужчиной. Возможно, ее сестра, одетая в ее пальто, тоже шла с мужчиной. Может, даже обнималась, что и породило у вас ярость. Но где же этот мужчина? Почему он вас не схватил и не вызвал полицию, когда вы ударили его спутницу? Был ли он? Как вы могли это забыть и не вспомнить?

— Не знаю, что мы можем восстановить на этом месте, но я буду ждать вашего звонка. Раз вы не адвокат мне, то я просто повторю то, что примерно уже говорил. У меня не вызывали ненависти мужчины Элизы, а только она. Но бить хотелось только их, однако я никогда не бросался на них. Я не идиот.

— Я это поняла. Но меня интересует поведение спутника сестры Элизы, если у нее был спутник.

— Наверное, не было. Мне могло что-то померещиться.

Они попрощались. Настя довольно долго сидела у стола, думала. Пока не заметила, что ее сыщик-муж, как у него водится, давно за ней наблюдает, стоя на пороге.

— Я просто так договорилась встретиться с Артемом, — сказала Настя. — Мне непонятно. Как он мог впасть в такую ярость, если там не было другого мужчины? Вы же не нашли других следов?

— Мы не могли проверять все следы. Просто его отпечатки ботинок были совсем рядом с трупом, они нас и привели к квартире. Вопрос решал овчар Дик. Он шел по запаху крови. Дальше — больше. Мы нашли все вещи.

— Дик не ошибается?

— Если убийц было несколько, ему приходится делать выбор.

— Но если бы с девушкой был мужчина, он бы как-то проявился! Он бы вызвал полицию, пытался бы задержать Артема.

— А он попытался скрыться. Возможно. Там мог быть мужчина. Он есть у нас на видео любовника Элизы, от которого она ушла как раз в сопровождении сестры и какого-то типа. То есть он мог быть спутником Валерии, потому что с ней приехал за Элизой. Я не понял, Настя. Тебе Васильева отказала. Зачем ты в это лезешь? Я не знаю, кто может крутиться рядом с этим Артемом.

— Задачи нужно решать, — голосом скучной отличницы сказала Настя. — И если Артем захочет, я буду его защищать. Потому что тут что-то не так. И ты, как всегда, гений, не закрыв это дело и оставив его на свободе. Это может спутать чьи-то карты.

— Спасибо за комплимент, хотя это просто моральная взятка. Но сильно похоже не просто на подставу, а на очень продуманную подставу. Деморализующие звонки с мелодией «К Элизе». Молчание в трубку. Вечеринка в открытом доме, куда может прийти любой, и он половины гостей не знает. Просто этот сценарий могли придумать очень опытные люди, которые Артема реально сводят с ума. А могли и подельники. Тебе в этом не разобраться, у нас ребенок, ты ему нужна... В этом деле можно утонуть. Но я знаю, что говорю впустую, раз вы встречаетесь. Будет очень смешно, если после вашей встречи он откажется.

Сергей вышел из кухни, не сдержавшись, хлопнув дверью. Он сердился на себя. Рядом с Настей и по поводу Насти он совершает только ошибки. Надо было уничтожить в зародыше саму ее идею — закончить юрфак. И это можно было сделать. Он сам ее втягивал постоянно в свои дела.

Глава 26

Странно начался рабочий день у Сергея. Ему позвонили из ОВД района, где убили Валерию Никитину, и сказали, что к ним пришел человек, который назвал себя свидетелем этого убийства. Он думал, что дело у них. Оставил свои координаты.

— Человек как, в себе? Он только сейчас, через две недели, вспомнил, что наблюдал убийство?

— Я не психиатр, — нервно объяснил следователь. — В себе или не в себе — меня как-то не колышет, поскольку дело у вас. Нужен свидетель — берите, не нужен, — я вам не звонил. У меня своих дел полно.

— Нужен, конечно, — сказал Сергей. — Просто светящимися психами нам лучше не обмениваться. Все же коллеги. Стоял, наблюдал убийство, сейчас решил поделиться впечатлениями.

— Нет, не так все было. Ехал он к рейсу в командировку, Опаздывал. Увидел, как какой-то человек ударил девушку по голове. Не знал, убил или нет. Остановиться не мог. Звонить по ноль-два побоялся: попросили бы подождать. И на самом деле попросили бы. А ему срывать командировку нельзя. Вернулся, забыл вообще про это, и тут кто-то сказал, что девушку убили, он и объявился. Скажешь, не сознательный?

— Сознательный. И что: убийцу рассмотрел?

— Говорит, что в общих чертах. Может, и узнает. Так будешь писать?

— Естесссно.... Спасибо большое за помощь в расследовании.

— Да не за что. Ты же телефон оставил, я обещал. В общем, берите, колите, на суд выводите. Это у меня с утра стихи выходят.

Евгения Михайлова

— Вообще блеск. Твоя фамилия не Пушкин? Я забыл.

— Нет. Бубкин.

— Ну, почти. Будь здоров, Бубкин, творческих успехов.

Сергей внес данные свидетеля в досье по делу, решил сразу не звонить. «Свидетелей» по каждому убийству, если сюжет прошел по ТВ, — сотни. Иногда тысячи. Звонят даже в ДЭЗ. Чаще всего сумасшедшие или очень одинокие люди. Толку от того, что кто-то якобы что-то видел и не просто не позвонил, даже не затормозил, нет. Кроме мысли: а если тебя будут убивать, а кто-то, кто мог бы помешать, в командировку опаздывает? Равнодушие и тупость — это путь в тупик, где перебьют всех. Это все, что можно сказать такому свидетелю. Столько времени прошло. Сергей не забивал дело свидетелями формальности ради. Нужно что-то... Не оставляло ощущение, что был какой-то заговор одного круга людей.

По спутнику Валерии ему так и не удалось ничего найти. Хотя видео есть, но плохого качества. Что вообще-то странно. Но в картотеках он не нашел никого похожего на этого Ника-Стика, пробовал набирать похожие имена в картинках гугла и яндекса, — тоже ничего похожего. Искал, разумеется, только москвичей. Пока. Надеялся по поискам и по своим базам найти похожую кличку криминальной личности, и все выстроится. Не нашел. Но придется вызывать Лидию Сикорскую, показывать ей, она должна знать в принципе. Может и не знать. С ней нужно вообще составить список друзей Валерии... Хотя вариант, что это случайный знакомый, не исключен. Если свидетель — действительно свидетель, то и ему надо показать. Сергей не поверил Игорю Сечкину, который сказал, что ему не представили человека, который пришел в его дом. Даже то, что он первый раз его видел, — не факт. Продолжает вести свою политику: как можно дальше отодвинуться от этого дела. Отдал эти записи, чтобы остановить обыск. Мужчина на видео был в черной кожаной куртке, коренастый, круглолицый, в темных волосах в одном месте — то ли отблеск лампы, то ли седина. Но по всему он гораздо старше обеих девушек. Звонить Сикорской вообще-то не стоило, лучше все узнавать самим. Темная она. И только у нее был мотив убрать Элизу. Она в статусе пострадавшей, но она подозреваемая — однозначно. Просто такой хитрой тетке не нужно этого знать. Но спутника дочери ей придется показать.

Сергей позвонил Сикорской и спросил, может ли она приехать сама в отдел. Если нет, он пришлет за ней машину.

— А что мне у вас делать? — нервно спросила Лидия.

— Вы — потерпевшая. Какую-то информацию о вашей дочери, ее знакомых мы можем получить только от вас. Возможно, вы узнаете одного человека, с которым Валерия была в одном доме вечером.

— Пришлите машину. Только не сегодня. Я плохо себя чувствую.

— Хорошо. Завтра я вам позвоню.

Евгения Михайлова

В кабинет вошел Василий.

— Сережа, на ноль-два позвонила женщина, которая что-то знает об убийстве девушки в сквере. Тот самый сквер и тот самый день. Вот ее координаты.

— То есть — второй свидетель за день? Через две недели? Удивительно.

— Да нет, просто мы информацию запустили, до кого-то именно сегодня дошло. А вообще могут посыпаться эти свидетели, которым просто делать нечего.

— Но разбираться с каждым придется. И все же совпадение имеет место быть. Пока был один подозреваемый — Артем Васильев, свидетели не объявлялись. Информация крутится не первый день. Как только Сечкин отдал нам видео с возможным фигурантом, появились свидетели.

— Подставные? Да и я так думаю. А ты самого Сечкина подозреваешь?

— А то! Пока не знаю, в чем. Просто это такой тип, с которым надо в прятки играть. Пусть он думает, что мы — лохи и поверили в его честность. Он вообще-то начал с ложных показаний. Потом... С этими видео мог и по ложному следу пустить. Там не видно, что обе девушки ушли с этим человеком. Вообще не вытекает, что они втроем покинули дом вечером, как он говорит.

— У него видеокамеры только в кабинете еще были. В холле, на террасе их нет. Во дворе неисправная, он сказал.

— Хитрый жук. Не оставляет свидетельств, кто к нему приходит и уходит. И когда.

— Ну, это однозначно связано с его денежными махинациями. На Отелло он совсем не тянет, — улыбнулся Вася.

— Отелло у нас уже есть. А если допустить, что Валерия, которая, по его отзывам, была девушкой достаточно назойливой и раскованной, как раз что-то об этих махинациях узнала, допустим, шантажировала или занималась вымогательством? А дальше допустить, что убить хотели именно ее, а не Элизу?

— А что! Это мысль. Кто-то же знал, что это именно Валерия шла в пальто сестры. И этим человеком мог быть запросто Сечкин, хотя он говорил про какое-то другое пальто. Но врет он, как дышит. Мне тоже так кажется.

Глава 27

У Лидии дыхание остановилось, так жестко и грубо не прижал, а просто скрутил ее, как пленницу, Стив. Он — любитель крутого секса. Всё они пробовали: и ролевые игры, и садо-мазо. Лидия не была ни ханжой, ни слишком чувствительной к боли, ей это нравилось. Ей казалось, что это точно желание настоящего мужчины, а не вялое удовлетворение потребности. И его влечет именно к ней. У любого мужчины с его кошельком вариантов сколько угодно. Он не знает, как говорится в одном кино, слов любви, но он на деле показывает, что она для него — не пустое место.

Сейчас, конечно, время неподходящее. Он не сказал ей ни слова по поводу смерти Валерии, не выразил сочувствия, не утешил. Впрочем, почему она думает, что ему не больно, не жалко девочку, ведь она была еще маленькой, когда они стали жить вместе. Он приехал в Москву из Белоруссии, звали его тогда Степан, открыл небольшой и очень неплохой магазин в их районе. Лидия туда ходила, он ее заметил, выделил, стал приглашать кофе попить в его кабинет, потом ей на кассе начали вручать небольшие, красиво упакованные подарки от директора. Это были то икра, то ананасы, то хороший коньяк. Лиде, конечно, принимать знаки внимания приятно. И она, конечно, думала о том, когда потребуется расплачиваться. Все произошло просто. Степан однажды проводил ее домой, якобы помогая донести небольшую сумку, зашел в квартиру, остался больше чем на десять лет. Лида какое-то время ждала предложения руки и сердца, этого ей даже хотелось, а вот идеи прописаться в ее квартире она ждала с некоторым напряжением. Это слишком многое объясняло бы. Но очень долго не было ни того, ни другого. Но Лида уже заглянула в его паспорт, увидела, что он женат и у него двое детей. Попробовала поговорить с ним.

— Не обсуждаем, — коротко ответил он. — Или ты думала, я — нетронутый мальчик? Семья живет в большом доме под Гомелем, у нас нет основания разводиться, я их поддерживаю. Жена не работает, а занимается детьми. Возвращаться я не собираюсь. В смысле окончательно. А вопрос с регистрацией в Москве может стать актуальным. Будем вместе — будем решать.

Лида тогда не поняла, почему он поставил только один вопрос из трех: развода, женитьбы и регистрации. Но не стала забивать этим голову. У них все нормально. Сначала она поддерживала его финансами и связями. Потом он стал обеспечивать их с Лерочкой полностью. Он устраивает ее как мужчина. За фасадом «греческой богини», раскованной и в то же время скрытной и лицемерной, скрывалась очень прямолинейная женщина с грубыми потребностями. Ах, ну, грубыми, конечно, это называют дамы, которые ударились в изысканность от фригидности. У Лиды с этим было все в порядке. Ей нужен был крепко стоящий на земле мужчина, нормальные деньги, которые он ей приносил, ей нравился жесткий и бесстыдный секс. А то, что она дня не прожила, чтобы не думать о Виталии, — это так привычно, что давно не казалось проблемой. Она все время пыталась получить информацию о нем, ходила в те места — сауны, салоны, тренажерные залы, — куда ходили сотрудницы Виталия. Часто у них были дружеские отношения. И она узнавала, что он продолжает изменять своей жене. Ее это радовало, но любовницу, с которой она общалась, часто хотелось утопить в бассейне. Но это проходило, никого она не топила, никого даже не столкнула случайно со скользкой ступеньки. И там, где бывала Галина Никитина, тоже появлялась. С ней не знакомилась. Смотрела издалека, не понимая, то ли злорадствовать, то ли завидовать. Галина была простая в общении, как говорится. Но из таких «простых», которым все кланяются. Это раздражало, но было терпимо.

Однажды она приехала в их район, решив отдать дочь в школу, которая находилась рядом с той, где учится дочь Виталия. У этих школ и директор был один. Просто для того, чтобы они встали на одну ступеньку. Нет, не просто. Она хотела, чтобы они познакомились. Галина — это чепуха. У нее соперниц — воз и маленькая тележка. Пусть любимая доченька узнает, что преданный папа ей изменил и соврал: она у него вовсе не одна. Лида этого хотела и для того, чтобы сделать Валерию увереннее. У девочки в свидетельстве записан отец, а она его никогда не видела. Пусть посмотрит издалека и вынесет ему приговор. Он ведь ей вынес. Откупился и просил забыть его.

Все это было теорией, пока на улице возле школы Лидия не встретила Галину с девочкой, дочерью Виталия. Сначала у нее оборвалось сердце: так были похожи сестры на расстоянии. Подошла ближе, рассмотрела подробнее Элизу, встретила ее яркий взгляд, — и это ее убило. Она поняла наконец, почему Виталий всегда возвращается к Галине. В этой тысячу раз преданной женщине было что-то королевское. Вот и родила она принцессу. Больше никто такую дочь родить ему не сможет. Это ежу понятно.

Весь вечер Лидию трясло и вертело-крутило. Она не знала, что с собой поделать. Во всех зеркалах она казалась себе страшной и дешевой проституткой. Вот почему на ней не женится даже Степан из Белоруссии. Валерия, Лерочка тоже казалась ей несчастным, страшненьким, убогим ребенком. Это был единственный вечер, когда она пожалела, что ее родила. Нет, не весь вечер, конечно, а какие-то минуты. А потом она порывисто обняла Валерию, скрыла слезы и сказала: «Ты вырастешь самой лучшей». Девочка посмотрела на нее удивленно. У них не было в привычках говорить друг другу хорошие слова, обниматься-целоваться. Точнее, у Лидии не было такой потребности, откуда ей взяться у ребенка...

Стивен продолжал ее ломать, вертеть, проникая глубоко, резко и грубо, но и он наконец заметил, что она безучастна.

— Ты о чем-то думаешь?

— О Лере, — сказала она.

И он, может, впервые в их жизни произнес человеческие, проникновенные слова:

— Ты не понимаешь. Я мог бы сейчас обойтись. Но я пытаюсь тебя вернуть к нормальной жизни. Ее нет, но ты — есть. И я с тобой.

Лида на минуту замерла от изумления. Он не такой уж и бесчувственный, каким она его всегда считала. Причем это не казалось ей недостатком для мужчины. В мужчине главное — физическая сила, физическая страсть, физическая способность раздвигать препятствия и подниматься по ступенькам выше, несмотря ни на что. Не то что Виталий, которому легко далась карьера, так, во всяком случае, Лиде казалось, а он сейчас... О боже. Не нужно об этом думать. Он не вынес то, что она вынесла. Она не пыталась совершить такой чудовищный поступок — убить себя. Ну, наглоталась, чтобы что-то заглушить. И это «что-то» было не горе, Лида с собой умела быть честной. Она, как всегда, глушила, давила в себе любовь, ненависть и ревность. И все вызывал только Виталий. Она никогда не задумывалась о том, верен ли ей Стивен... Хотя... иногда ей казалось, что она замечает плохие вещи. Точнее, ей сейчас кажется, что она замечала, но она проходила мимо, а сейчас вспомнила.

Он зарычал, больно впился крупными руками ей в плечи, потом обмяк и уткнулся лицом в грудь. Впервые за всю их жизнь она почувствовала облегчение от того, что акт любви закончился. Она мягко освободилась, выбралась из-под него, пошла в ванную, налила очень горячую воду и легла, прикрыв глаза. Она удивлялась: как быстро прошли десять лет. Они так и не зарегистрировали брак. Она понятия не имеет, ездит ли он к своей семье, развелся ли с женой, где его дети. Он уезжает в командировку или не в командировку, ей просто говорит, когда примерно вернется. Он уже лет пять Стивен Боровицкий, владелец коммерческого банка. Просто завел себе новый паспорт (то бишь купил), по нему он холост, зарегистрирован в квартире, которую купил именно с этой целью и даже не сдает. Она там никогда не была. Он — москвич. И она с ее квартирой ему понадобилась не только для того, чтобы зацепиться за Москву. Значит, все-таки привязан. Наоборот, она ему обязана всем. Если честно, то не только ему она обязана тем, что никогда не работала, а была на содержании. В Москве это оказалось совсем не сложно. Она тогда, как увидела эту квартиру, с помощью которой ей с Лерой дали отставку, сразу поняла: не расстанется с ней никогда. И, надо сказать, первое время именно квартира ловила для нее мужчин, которым тоже надо было обосноваться. В основном приезжие, которые отовсюду едут сюда, часто с большими и совсем не честными деньгами. Это не ее проблемы. Просто мужчины были совсем не те.

А Стивен — тот. И Лерочке не просто дал возможность закончить дорогую школу, потом курсы банковских работников, но и взял ее в свой банк. Он вел себя по отношению к ней как отец... Как отец? Есть что-то, что она обязательно должна вспомнить. Только не сейчас. Самое главное сейчас — прекратить думать о Виталии. И не спрашивать у его жены, жив он или умер. Ни в коем случае. Они — враги. Даже если умер. Лида закусила до крови губу, но все же не выдержала: повернулась лицом к стене и горько заплакала, позволив рту кривиться, как ему вздумается, а морщинам уродовать гладкий лоб.

Глава 28

Лидия приехала утром в отдел по расследованию убийств одна. Ей даже в голову не пришло попросить Стивена поехать с ней. Вопросы могут быть разные, и она не считала, что его нужно во все посвящать. Это было кредо их обоих. Никаких открытых душ. Каждый дает другому лишь ту информацию, которую сочтет нужным. Это и физиологическое влечение — то, что связало их надолго. Лида считала, нет, она хотела считать, что это важнее любви. Даже не любви, любого чувства, когда человек не владеет собой и не знает, что ждать от партнера. Стивен — именно партнер. Виталий в одно мгновение из возлюбленно-

Евгения Михайлова

го превратился во врага. Остальные мужчины Лиды Сикорской не стоили анализа.

— Как вы себя чувствуете? — спросил Сергей.

— Нормально.

— Это хорошо, потому что мне придется задавать тяжелые для вас вопросы. В числе обычных, разумеется. Вы хорошо знали друзей дочери?

— Плохо. К ней редко приходил кто-то домой.

— Почему?

— Не знаю.

— Но как вы думаете? Это ведь не совсем обычная ситуация.

— Возможно, причиной был мой гражданский муж. Лера — я так думаю, — называла своим отцом Виталия Никитина, многие знали, что они сестры с Элизой Никитиной. Возможно, она не хотела, чтобы в нашем доме видели другого человека.

— Но Элиза как раз охотно и часто приглашала домой друзей. Эти люди знакомы и с Валерией наверняка. И они знали, что они не живут вместе. Где логика?

— Вы вызвали меня логику проверять? Я же сказала: не знаю, но так думаю. Лера слишком подружилась с Элизой, то есть ей казалось, что она подружилась. Я ей настрого запретила бывать у них дома. Ее биологический отец бросил нас до ее рождения. Женщины такое не прощают. Но они бывали вместе в других местах. И далеко не все знали, что Виталий нас бросил. Мне кажется, Лера это переживала болезненно.

— А почему вы запретили ей бывать у Элизы?

— Потому что он велел мне продать эту квартиру.

— Да, он думал, что вы ее продали, не знал, что вы живете в Москве. Бизнесмены — занятые, даже зацикленные люди. Но! Разводы и повторные браки, другие отцы сейчас вовсе не редкость. В чем все-таки дело?

— Вы же следователь, и все уже, видимо, знаете. Не было никакого развода у нас с Виталием, поскольку не было брака. И сейчас у меня нет никакого брака. Стивен — мой сожитель, выражаясь вашим ментовским языком. Наверное, Валерия стыдилась того, что у нас не все как у людей. По крайней мере, не так, как у сестры. Она себе идеал из Элизы создала.

— Но кого-то из друзей дочери вы знаете?

— Конечно. В школе видела, потом на курсах, на улице иногда с кем-то встречала. До дома ее провожали...

— Понятно. Тогда поработаем. Нужно попытаться кое-кого опознать.

Сергей взял ноутбук и поставил его на столик, перед которым сидела Лидия. Сам просто присел на край стола. Он всегда, в том числе и на рабочем месте Земцова, старался избегать казенной обстановки, казенных разговоров, даже мебель принес в кабинет Славы ту, которая похожа на домашнюю. Ходил и отбирал у сотрудников. «В аренду, ребята. У меня в этом застенке работа не идет». Его любили, ему все отдавали. Одна сотрудница так растрогалась, что принесла из дома кружевную скатерть. Это было слишком, но Сергей не мог ее обидеть. Разрешил постелить кремовую, будуарную скатерть на журнальном столе.

— Это натуральное кружево, ручная работа, — сказала гордая сотрудница. — Я буду ее сама стирать, потому что вы испортите.

— Я испортил бы даже кружево, вырезанное из резины. Это во-первых, Рая. А во-вторых, я ничего не стираю в принципе. У меня есть жена и мама. Но я тебе очень благодарен. Как-то так стало мило. Сразу спать захотелось. И есть.

— Я вам и подушку принесу. И котлет нажарю. Можно?

— О чем разговор! Только не все сразу. Иначе работе конец.

— Хорошо. Я не сразу.

Шелковая пуховая подушка уже лежала на суровом кожаном диване Земцова, и Сережа старался на нее не смотреть. В сон клонило. Значит, скоро прибудут котлеты. Рая — очень обязательный человек.

Лида, кстати, очень внимательно разглядывала скатерть. Ретро, красиво и дорого. Не такие уж они козлы, эти менты. А Кольцов еще и красавец-ковбой. Просто Лида не доверяла красавцам по жизни. Следователь — другое дело. Синие глаза, зеркало души и все такое. Может, и неплохой человек. Но, бог ты мой, как ей не хотелось внедряться в жизнь и тайны покойной дочери. Тайны? Нет. Просто Лера не очень посвящала мать в свою жизнь. Особенно когда между ними возникло молчаливое противостояние. Лида хотела слышать от Леры, как она ненавидит отца, какая плохая Элиза, а Лера просто перестала с ней

147

о них говорить. Иногда об Элизе — с восхищением. То есть идея провалилась? Кто знает? И кто теперь узнает? Лера была не самым честным и простым человеком. Зачем-то они переоделись. Кто-то перепутал. Нет обеих. Точнее, дочь Лиды есть: в морге. А вдруг это Элиза их переиграла и прячется? Да и с Виталия подозрение не снимается. Он дал такую реакцию. Это странно. Как будто хотел уйти от ответственности. Но пусть ищут сыскари. Ее дочь не вернут. Хотя — с другой стороны: как искать без близких людей, свидетелей? Она хочет, чтобы убийцу нашли.

— Это что? — спросила она у Сергея.

— Это снимок из альбома Элизы. Эта девушка, лица которой не видно, очень похожа на Валерию. Как вам кажется?

— Мне не кажется. Это Лера.

— Остальные люди вам знакомы?

— Элиза, конечно, королева бала. Остальные все, как Лерочка, то сбоку, то с краю, то спиной... Нет, точно я никого не узнаю. Вроде есть что-то знакомое, но могла видеть раз, на улице.

— То есть, кроме Леры и Элизы, вы точно никого не можете назвать, так?

— Так.

— Платье на Валерии...

— Его подарила ей Элиза.

— Оно дома?

— Не знаю. Это надо рыться в куче тряпок.

— Элиза специально покупала Валерии подарки? Упаковка и тому подобное?

Евгения Михайлова

— Нет, конечно. Надела раз — второй раз уже в этом не появится, так я понимаю. Вещи практически новые всегда, но их один-два раза надевали. Правда, Лера говорила, что какие-то вещи у нее любимые есть...

— Леру это не смущало — то, что вещи не были совсем новыми?

— Она была в восторге. Так мне казалось. Ведь Элиза покупала для себя. Для Леры это значило очень многое. Подарки все же не выбирают, как для себя.

— Итак, это фото ни о чем вам не говорит, да?

— Почему... Это студия, мне кажется, я была в ней... Очень давно. Хотя, наверное, все студии фотографов похожи. И я была не в одной. Просто тут стенка выложена необработанным гранитом. Один выпал. Я видела такую стенку. Сразу скажу: не знаю, где это. В Москве, но не найду. Меня привезли из аэропорта на машине.

— Кто привез?

— Фотограф и привез. Мы договорились, наверное, а может, Виталий. Я не вспомню.

— Имя хотя бы фотографа?

— Нет. Я же сказала: меня часто фотографировали. Я была в разных студиях.

— Мы можем найти фото из этой студии?

— Не берусь. У меня их тысячи.

— Они находятся в одном месте?

— Нет. Что-то закачала в компьютер, потом надоело.

— Вы доверите нам поискать?

— Не хотелось бы.

— Но это ниточка, как вы не понимаете?! В этой студии могло задумываться убийство.

— Не знаю. Только когда Стивена дома не будет.

— Кого?

— Это мой гражданский муж. Стивен Боровицкий.

— Странное имя. Он — иностранец?

— Да ничего странного, потому что он Степан из Белоруссии, фамилия Галушка. В Москве все поменял.

— Прошу прощения, а как вы называете его сокращенно-уменьшительно? Ну, по-домашнему?

— Стив, конечно.

Глава 29

Когда вечером Сергей пришел домой, его радостно встретили Олежек и Май. Насти не было.

— Не понял: где у нас мама? — спросил Сергей, обнимая сразу ребенка и собаку. Они как-то научились сплетаться в теплое, уютное, целовальное и лизательное существо.

— Мама сказала, что пошла по делам, — доложил Олежек. — И сказала, чтобы ты с нами погулял перед сном.

— Олег, — строго сказал Сергей. — Я, конечно, с вами погуляю, раз вы такие брошенки. Но зачем ты говоришь неправду? Не могла Настя такого сказать, потому что я случайно пришел так рано. У меня бывают дела до утра.

Евгения Михайлова

На Сергея уставились две пары больших, очень красивых и, главное, честных глаз.

— Ну, не сказала, но дала понять, — ответил разумный не по годам ребенок. — Она сказала, чтобы я один с Маем не ходил. А ее нет. Что получается?

— Что ты прав. Она вас покормила, надеюсь?

— Давно, — твердо сказал Олежек, и Май посмотрел на него преданно. Пес понял, что ребенок представляет их права. — Май ел свою еду с каким-то мясом, я — котлеты с макаронами, помидоры, потом яблоко. Но мы хотим шоколадный торт!

— Какой еще торт?

— Мама купила, сказала — потом. Значит, сейчас, когда ты пришел. Он целый.

— Опять Настя купила эту мину замедленного действия! Ты будешь просить по кусочку весь вечер, а потом просыпаться ночью и говорить, что он тебе снится и мешает спать. Хорошо, пойдем гулять, потом попьем чаю с этим тортом. Только не вздумай Маю давать. Собакам нельзя сладкое.

— А мама сказала, что она прочитала состав, там все хорошее. И фирма хорошая. И сладкое нужно для мозгов.

— Ты про чьи мозги говоришь?

— Мои и Мая.

— Где же Настя? — в панике воскликнул Сергей. — Я с вами не справлюсь.

— Мама скоро придет. Наверное. Но она будет усталая, поэтому тебе нужно с нами быстро погулять и дать чай с тортом.

— Не могу понять, как у нас с Настей мог родиться такой хитрый ребенок. Ты просто знаешь, что Настя сегодня не собиралась давать тебе торт. Во всяком случае, перед сном. Может, она его вообще кому-то в подарок купила. На день рождения, например.

— Пап, — встревоженно сказал Олежек, — тогда давай быстрее. Разрезанный и поеденный она не подарит.

— Ужас, — сказал Сергей, и они пошли гулять. После активной прогулки с беганьем за мячом и прыганьем через барьеры они вернулись домой, уже, наверное, втроем мечтая о чае и торте. Маю Сергей нарезал немного мяса в миску. Но Олежка все же сунул ему кусочек действительно вкусного торта.

— Не делай этого! — сказал Сергей. — Мало того что ты посадишь собаке печень, она еще станет настолько умной, что найдет себе более умного хозяина.

— Не-е-е-ет, — расстроился Олежка. — Май не может так поступить.

— Давай не проверять, а? Тебе не кажется, что мамы слишком долго нет?

— Не кажется. Она ушла перед тем, как ты пришел. А я спать хочу...

Две пары прелестных глаз, как по команде, стали слипаться.

— Хорошо. Пошли мыться, и ложись. А я один буду отвечать за это преступление — накормить на ночь ребенка тортом. Ты очень много съел.

— Нет, — зевая, сказал мальчик. — Я могу больше.

Евгения Михайлова

Когда они вышли из ванной и направились в детскую, Олежек стал очень смешным в пижаме и вовсе не похожим на школьника, — он вообще сохранил что-то почти младенческое. Или это просто Сергею так кажется, потому что он ему нравится, — маленький сынок посмотрел на отца, с которым не так уж много общается, жалобно и нежно. Все понятно. Он хочет на ручки, этот школьник. Настя сказала, что не нужно его от этого отучать. Детям бывает тоскливо по вечерам. Они не любят, когда их оставляют одних. А проблемы тут нет. Когда они не смогут взять сына на руки и поносить, значит, он вырос. И они не будут виноваты перед ним за его ненужную грусть. Сергей взял совсем еще легкого ребенка на руки и стал носить по комнате, тихо напевая: «Мы ехали шагом, мы мчались в боях, и яблочко-песню держали в зубах».

— А как это — «яблочко-песню держали в зубах»? — сонно спросил Олежек.

— Песню держат в зубах, чтобы не потерять, не сбиться, не стать слабыми. Так, наверное.

— А, — произнес ребенок и ровно задышал.

Сергей осторожно уложил его в кровать, укрыл, погладил по головке с копной волнистых, мягких и красивых, как у девочки, волос. Такие ошибки природа совершает часто. Сергей это стал замечать, когда приходил за Олежкой в школу. У некоторых девочек, точнее, у многих — три пера на голове, а у Олежки такое украшение над ясным лбом.

Он закрыл дверь детской и посмотрел на часы. Если Настя до сих пор не позвонила, значит, сейчас придет. Время, когда ребенку пора спать, — для нее святое. Не успел Сергей так подумать, как входная дверь открылась.

— Ты уложил ребенка? — тревожно спросила она, пройдя, не раздеваясь, в гостиную.

— Ну да. Он уснул у меня на руках ровно в девять.

— Немного рано.

— Мы бурно поиграли втроем на улице, потом он наплюхался торта, который ты зачем-то купила. А зачем? Перед тем как его разрезать, я подумал, что тебе нужно с ним в гости пойти.

— Да нет. Просто самой захотелось. И сколько он наплюхался? Неужели весь?

— Нет, конечно. Мы втроем съели половину.

— Вы что, Маю давали? Ему нельзя.

— Этот разврат я остановил.

Настя вернулась в прихожую, сняла полусапожки и синий пуховик с капюшоном. Потом вошла в кухню и вымыла руки прямо там, под краном.

— Устала, сама не знаю почему, — виновато улыбнулась она, сев на диванчик. — Пожалуй, я доем оставшуюся половину торта. Глюкоза мозгу нужна. Я все время задаю себе вопросы и попадаю с ними в тупики.

— Вопросы о чем? Если по поводу Вселенной, торт не поможет.

— Да, я знаю. «Есть только две бесконечные вещи: Вселенная и глупость. Хотя насчет Вселенной я не уверен».

— Это на тебя так торт подействовал? Мне нравится.

— Мне тоже. Только это Альберт Эйнштейн. Я встречалась с Артемом Васильевым. Мы были на месте убийства. Сережа, я беру это дело. Даже если убил он. Это не маньяк и не убийца по определению. Мне хочется разобраться.

— Порадовала жена. — Сергей не на шутку разозлился. — Ты не справишься. Я сделаю тебя. Как цыпленка. Ты загубишь его, даже если он и не виновен. Потрясающий эгоизм! И упрямство.

— Мы подписали договор. Мне теперь интересно и то, что ты меня сделаешь, как цыпленка. Давай попробуем и это.

Глава 30

Сергей проработал за компьютером всю ночь, а к десяти утра был уже в одном из тихих переулков центра, где находился небольшой частный банк со странным названием «Аба». Он показал пропуск седому охраннику и прошел на второй этаж, где находился кабинет владельца. Дверь открыл без стука, но остановился на пороге.

— Прошу прощения, что без звонка. Этот визит к вам не был запланирован. Меня зовут Сергей Кольцов, я частный детектив, исполняющий сейчас обязанности начальника отдела по расследованию убийств. Вы — Стивен Боровицкий, я видел вашу фотографию на сайте банка. Прямо утром и нашел. Всю ночь пробивал свидетелей убийства вашей падчерицы. Вдруг посыпались. А сейчас решил вас навестить.

— Проходите, — сказал Стивен и показал Сергею на бежевое кожаное кресло перед своим столом. — Я так и понял, что вы пришли по поводу убийства Валерии. Но я никак не могу быть вам полезен. Мы с Лидой были в Альпах тогда. И вообще, я чего-то не понимаю. У вас ведь есть подозреваемый, все указывает на него, но он почему-то на свободе. А вы, извините, тянете резину. И не свидетелей опрашиваете, а ко мне приехали. Я — именно не свидетель.

— Откуда у вас такая точная информация о подозреваемом, о том, что все указывает на него?

— Есть источник. Скажу прямо: информация из вашего ведомства.

— Понятно. Да, когда какой-то сотрудник выносит информацию о следствии, то она, как правило, усеченная, выдернутая из общего контекста. Ни у кого, кроме меня, нет полного материала по делу. Не потому, что я не доверяю своим людям, а потому что каждый занимается своей частью работы. Как вам, видимо, известно, в любом следствии есть версии. И каждая из них проверяется отдельно. Например, мать Валерии, ваша гражданская жена Лидия Сикорская, допускает причастность к этому убийству биологического отца Валерии — Виталия Никитина. Он считает, что она могла заказать его законную дочь Элизу, чтобы Валерия стала единственной наследницей, но не учла, что девушки переоденутся и их перепутают. Впрочем, и Элиза до сих пор не найдена.

— Не знаю, зачем рассматривать этот бред, если у вас есть конкретные доказательства по поводу парня, влюбленного в Элизу, признавшегося в том, что он хотел ее смерти из ревности.

— У меня предложение. Не рассматривать мои методы работы. Мы просто теряем время. В данном случае я ищу мужчину, с которым Валерия была той ночью в одном доме. Там же была и Элиза. Я к вам приехал именно поэтому. У нас есть записи с разных видеокамер этого человека. Как говорит хозяин дома, девушки называли его то ли Ником, то ли Стиком, что может быть — Стивом. И он очень похож на вас.

— Вы — сумасшедший. Мы с Лидой были в Альпах.

— Ну, прилететь на вечер-ночь — не проблема. Тем более вы пользуетесь частным самолетом. Я это еще не проверял. Просто приехал посмотреть на вас. И честно об этом говорю, потому что фото на сайте банка не дает полного представления.

— Ну, посмотрели? Это я?

— Даже не знаю. Похожи очень. Я сейчас открою видео с вашего позволения.

Сергей открыл видео на планшете и, взглянув на мужчину, перевел взгляд на Стивена.

— Мне тоже можно взглянуть? — спросил тот.

— Да, конечно. Вот ракурс ничего. Хотя ролики на редкость неудачные. И прядь седых волос — всего одна — хорошо видна. И ухо — эксперты легко опознают по строению уха. Я в этом не так силен, но вижу, что у вас тоже практически нет мочек. Как, по-вашему, вы похожи?

— Сейчас отвечу. Сначала можно я задам вопрос? Вы не заметили, что на этих видео нет даты и времени?

— Заметил, конечно. Есть такие версии видеокамер. Можно установить дату и время, можно этого не делать.

— Блеск! Значит, это дерьмо Игорек решил меня так подставить? Да, возможно, это я с Валерией. Но не в ночь ее убийства, а недели за две. И мы с ней в ту ночь остались в доме Сечкина, а утром вместе поехали на работу. Сюда.

— Как вы это докажете?

— А как вы докажете, что это было в другую ночь? Никак! А я докажу. Приставлю пистолет к башке этого подонка, и он сам все расскажет.

— Милый способ. Но я, к сожалению, не могу это поддержать. Придется найти менее экстравагантный метод. Значит, вы утверждаете, что Игорь Сечкин дал ложные показания. А выглядело все очень естественно. Он отдал записи, чтобы мы не проводили обыск. Явились мы без предупреждения.

— У него все выглядит естественно. А то, что вы придете с обыском, он мог узнать так же, как я, от вашего же сотрудника. Эта сука за всю жизнь слова правды не сказала.

— Вы о ком?

— О Сечкине. Потому что он не мужик, а... Да уже, кажется, понятно кто. Проверяйте. Все, как я сказал.

— Может, есть свидетели?

— Свидетель всему, конечно, есть. Элиза. Только вы такие профи, что пришли с обыском, а повелись

Евгения Михайлова

на лажу. А надо было искать. Могли бы и ее труп найти.

— Вы теперь считаете, что Валерию убил Сечкин?

— Почему нет? Раз меня пытался подставить, мог и того паренька подвести под любую небылицу.

— Зачем ему вас подставлять?

— Он помешан на чужих деньгах. Такое подлое, скрытое рейдерство.

— С Артемом не получается. У него ничего нет.

— Ну, это ваши проблемы. Может, Валерию и он убил. Просто эта крыса попыталась подставить меня. Если честно, то я понятия не имею, чей силуэт тут маячит. Похож на меня. Наверное, еще на кого-то. Мужиков с седой прядью и такими ушами может быть сколько угодно. Но он выбрал ракурс, где вроде я. Тем более я у него бывал. Если моя жена меня узнает, я — подозреваемый? По тем же приметам. Прядь, ухо. Проверяйте. Но сразу скажу: если Игорек решил под меня подкопаться, это не выйдет. Игрун! Нацеплял этих штучек, потом игру строит. Я, к примеру, не знаю, зачем он Валерию принимал. И что там у них вообще было.

— У вас были близкие отношения с Валерией?

— Да. Иногда. Давно. Об этом вам многие расскажут даже здесь, у меня, получая от меня зарплату. Так что скрывать нет смысла. А что такого? Я не женат официально. При этом Лидию бросать не собирался ради Валерии. Но и отказываться от своих и ее желаний не считал нужным. Нас иногда тянуло друг к другу. У Валерии было одно качество... Не считаю его ни плохим, ни хорошим. Просто такое, нередкое

159

для женщин, качество. Она завидовала другим женщинам. Ей казалось, что у всех все лучше. Она и матери завидовала. Из-за меня.

— А как близко вы были знакомы с Элизой?

— Никак не близко.

— Но что думаете о ней?

— Красивая. Королева. И поэтому мне это было не нужно. Не люблю, когда твою женщину все хотят, и она знает об этом.

— Валерия ей завидовала?

— Вот тут вроде нет. Мне казалось, что гордится такой старшей сестрой.

— Ну, что. Мы поработали. Спасибо. Пойду.

— Да. Я сказал правду. Готов к любым проверкам — детекторы лжи, что там еще у вас. И еще... Сергей, Лиде будет очень больно, если она узнает о нас с Валерией.

— Понятно. Этой темы не будет в материалах, и никакой сотрудник ее не продаст.

— Спасибо.

Часть вторая
К ЭЛИЗЕ

Глава 1

И вот она опять в этой комнате, где на полу низкие лежанки с веревками и ремнями, между подушками — плети, резиновые фаллоимитаторы и прочая тупая, на взгляд Элизы, сексуальная атрибутика для тех, кто не знает настоящего секса, кому нужны механические возбудители, и они гораздо важнее, чем партнер. Элиза наблюдала за этими потугами без отвращения. Ей даже было интересно смотреть, как лезут из кожи, стараются, как на каторжных работах, люди, не знающие, что такое страсть. Их, наверное, мучает зависть к тем, кто знает. Впрочем, женщины приходят тупо за деньгами. И с таким же успехом пилили бы дрова. Просто у них другая профессия. Элиза смотрела на их лица. Ни экстаза, ни радости, ни страстной муки, ни даже похоти. Рабочее выражение, искусственные стоны. Плохих профессионалок он приводит. Именно ей не стоило все это демонстрировать. Она раньше неплохо к нему относилась. Считала неглупым и сильным. Самое интересное — то, что она приехала к нему, как всегда, по своей воле, и могла бы бросить надоевшего Игоря ради него легко. Ей в то утро даже и не к кому было поехать. То есть поехать всегда есть к кому. Просто он был ей хорошо знаком, довольно приятен, это могло перерасти в большее. И вдруг этот практически плен. Пусть даже просто шантаж, но зачем он нужен? Значит, она чего-то не знает. И она здесь, чтобы узнать.

Получилось так. Их познакомила Валерия. Сказала, что это друг и фотограф мамы. Петр фотографировал обеих сестер еще со времен школы. Потом, когда они выросли, фото стали откровеннее, он довольно талантливо играл на их сходстве. Именно на его фотографиях они заметили, что похожи. Он снимал их и одетыми, и полураздетыми, но не пóшло, а как будто одна уже оделась, другая одевается, они смотрят друг на друга. Пользовался фотошопом, поэтому на некоторых снимках на их непохожих лицах — одинаковые выражения: жажды, страсти. Валерии эти снимки нравились. Элиза рассматривала с любопытством. Ханжества в ней не было ни на грамм, раскованность и непринужденность выше среднего намного. Она никогда не видела свое лицо в момент страсти, в это время она всегда была наедине с мужчиной. Кроме этого, ей хотелось знать, выглядят ли они похожими с Валерией на самом деле, со стороны. У них разные черты лица. Петр умел что-то такое поймать, что-то подправить, и на этих эротических снимках было заметно их родство. Так казалось Элизе. Странно лишь то, что Петр никогда не разрешал им скачивать эти снимки. То есть не все. Разрешал брать то, что сам выбирал. Хотя это авторское право. Он мог что-то искать для выставок. Он в них участвовал.

Здесь у Элизы много времени для размышлений. Она поняла то, что не занимало ее раньше. Не случайно квартира-студия Петра оказалась через два дома от ее дома в Москве. Не случайно, потому что этот, его загородный дом находится недалеко от дома Игоря, то есть в соседнем поселке. Такие совпадения бывают, конечно, но она чувствовала, что тут — не совпадение. Собственно, у нее и раньше никогда не было сомнений в том, что Петр ее хочет. Но ее хотели многие мужчины. Что же, ей все бросить и думать о них? И вдруг — практически похищение. Которого по факту и не было. Появилась причина уехать от Игоря, и она уехала. Игорь в ту ночь был невыносимо нудным, вздумал ревновать к Петру и Валерии сразу. Уходил в спальню спать, но слишком быстро возвращался в еще более плохом настроении. Он, по сути, — аутист, считала Элиза. Привязанность к ней его тяготила. А ей сначала показалось, что это такой муж, который ей нужен. Не слишком навязчивый, с домом-крепостью. Где даже убирали и готовили какие-то невидимки. Элиза никогда не видела прислуги. А у нее тоже есть потребность в уединении. И в постели он не был ей противен, а для брака это главное. Бешеная страсть — это не семейная жизнь, а постоянный стресс, что Элизе было не нужно. Как-то так получилось, что в ее жизни этого не было. Она — чувственная, но как бы выразиться... Граница на замке. Страсть сносит все: и границы, и независимость, и свободу, и права. Ты — чья-то, и тебе это нравится. Элиза считала себя настолько властной, чтобы этого не допустить.

Но с Игорем произошло то, что с предыдущими претендентами. С ним стало скучно. В постели — безразлично. И он, как и предшественники, не слишком стремился на ней жениться. Скорее, наоборот. Элиза прекрасно понимала причину: слабаки. Им нужна такая жена, как ее мама: ни в чем не выделяющаяся, во всем зависимая. Яркая красотка без комплексов, за которой всегда табун жеребцов, — это проблема. С этим справится только настоящий мужчина. Жизнь другого превратится в ад. А настоящие есть? Элиза не знала. Даже отец, которого она так любила, считала хорошим человеком, оказался предателем. Элиза приблизила так к себе Валерию еще и потому, что это была месть отцу.

В общем, в ту ночь они болтали, пили вино, Игорь то появлялся, то в очередной раз отправлялся спать. Элизе стало совершенно ясно, что его пора бросать. Но она никогда не делала это демонстративно. Петр немного поснимал их с Лерой на айфон. Потом предложил подъехать к нему домой, там студия, аппаратура, свет, у него новая идея. И она согласилась. Валерия всегда была счастлива находиться с ней. И Петр ей не чужой человек. К утру они собрались, Элиза вошла в спальню Игоря и, не стараясь быть слишком убедительной, сказала ему, что они уезжают, ее отвезут домой — подготовиться к сегодняшнему экзамену. Потом она поедет сама на этот экзамен.

Евгения Михайлова

Игорь повернулся к ней спиной, она спокойно вышла, и они уехали в студию к Петру. Спать никто не хотел, девушки позировали, Петр осуществлял свою идею. Она состояла в том, что он опять делал акцент на их сходство, и они менялись одеждой. Лера даже надела корсет Элизы. Потом Петр предложил надевать прямо на белье пальто друг друга. Потом опять надели платья. Они все вошли в азарт, потому что сзади в пальто девушки сами себя едва различали. И в это время раздался звонок по телефону Валерии. Сразу стало понятно, что это не безразличный ей мужчина. Она заволновалась, покраснела, тут же согласилась куда-то ехать одна. Была в это время в платье и пальто Элизы.

— Поезжай так, — сказала Элиза. — Потом обменяемся. Хочешь, оставь себе, дарю. Твою одежду верну.

— Да, я побежала, — сказала Лера и действительно побежала.

Петр сделал еще пару крупных планов Элизы, потом предложил ей немного виски, выпил сам довольно много.

— Не увлекайся, — сказала Элиза. — Я хочу домой. Тебе ведь туда же.

— Конечно, — ответил Петр. — Поедем. Только не сейчас. Надо немного протрезветь, что-то меня повело, и от запаха избавиться. У меня есть система: несколько раз прополоскать рот разными ополаскивателями.

— Давай, — зевнула Элиза.

ГОРОД СОЖЖЕННЫХ КОРАБЛЕЙ

Она пошла за своей сумкой, чтобы взять телефон. Если Петр вдруг уснет, не протрезвеет, не избавится от запаха, она вызовет такси. Телефона в сумке не оказалось. Наверное, забыла у Игоря. Звонить ему не хотелось категорически. Легче купить другой телефон. Контакты все есть у нее в компьютере. А еще через какое-то время позвонил телефон Петра, тот молча послушал и вдруг передал аппарат Элизе.

— Ты, слушай меня. Если ты дернешься от Пети, начнешь кому-то звонить, твоей сестре перережут горло. Слышишь, как она вопит?

И Элиза с ужасом действительно услышала стон Валерии.

— Дайте ей трубку, — попыталась сказать она своим властным голосом.

— Какие телефоны! Забудь. — С ней говорил какой-то явный бандит, отморозок. — Мы ее накачали спиртом. Она пузыри пускает. И никакие разговоры вам ничего не дадут. Будешь делать то, что папик скажет, отпустим, когда протрезвеет.

— Вас легко найдут, если с головы Валерии упадет хотя бы один волос, и вам мало не покажется, — сказала она, не веря ни одному своему слову. Они обе попали в ловушку. И ей нужно всех перехитрить, чтобы спасти жизнь сестре.

— Это ты устроил, подонок? — спросила она у Петра, бросив телефон просто ему в лицо.

— Ну, я, — пьяно рассмеялся он. — Ты свободна, как ветер. Уезжай домой, звони в полицию. Вдруг нападешь на старательного дурака, который пороет Москву и Подмосковье и найдет твою сестру с перерезанным горлом. Кто это сделал, они не найдут никогда, это я гарантирую. Но в чем такая уж проблема? Жила без сестры, дальше без нее обойдешься. Или новую папочка слепит.

Элиза поняла, что он прав. Ее телефон исчез не случайно. Он его выбросил или спрятал. Пока она дождется на шоссе такси, пока доберется до какого-то телефона или полицейского отделения, они убьют Леру, для этого нужно несколько минут. А убийцы... Что-то она не слышала, чтобы в таких случаях ловили убийц. И какое потом это уже имеет значение? Она просто должна сделать все, чтобы сохранить Лере жизнь. Даже если сестра участвует в этой интриге, Элиза допускала это. И стонала для ее шантажа. Это не вопрос, на что способна сестра. Ее задача — обрести свободу не ценой ее жизни. Голос все же бандитский. Лера — простая и алчная. Ее легко обмануть. Она может купиться и на богатого мужчину, и просто на деньги. Элизе нужно вести себя очень аккуратно, чтобы ни Петр, ни те, кого он, возможно, зачем-то нанял, не испугались, не перестраховались. Валерия — свидетель или соучастник. И она как-то особенно никому не нужна. Какая-то незаконная она. Не только потому, что отец Элизы ее бросил. Почему-то за свою жизнь Элиза совсем не опасалась. Она очень заметная, ее обязательно обнаружат. А Петра она найдет способ сломать. На самом деле она была слишком смелой, переоценивала свои возможности и свою безопасность, но мыслей об этом не допускала. Тут ставить можно на что-то одно: или на смелость, или на страх.

Глава 2

А в то утро, когда Лера уехала и они остались вдвоем с Петром, он сказал ей, что желает ее как женщину, причем давно. Но ему не нужно, чтобы она просто переспала с ним и уехала. Он решил довести ее до такого состояния, чтобы она сама умоляла его о близости. Только в этом случае он не станет ее очередным романом. Он хочет стать особым романом.

— Ты свихнулся? — рассмеялась она. — Ты придумал, как будешь доводить меня до такого состояния? И сколько лет тебе на это понадобится? Я думала, ты не просто умнее, а значительно умнее. И до этого бреда у тебя был реальный шанс. От Игоря я ушла совсем. С тобой могла бы провести пару дней. Но умолять тебя не стала бы даже в горячке. После этого ты меня вообще не интересуешь.

Петр заговорил о каких-то посторонних вещах, откровенно меняя тему, стал много пить, что было плохо. Но она спокойно попыталась достать свой телефон, и произошло то, что произошло. Он участвует в каком-то преступлении, или он его организовал. Все было очень убедительно. Не похоже на спектакль. Стон Валерии... Элиза хорошо знала свою сестру в разных ситуациях. Она иногда, точнее, часто притворялась, но это всегда было понятно. На этот раз она в опасности. И если Элиза совершит резкий поступок, Валерию убьют как нечего делать. Может, это организовал не Петр, он просто выполняет чей-то заказ. Ее, Элизу, нужно на время нейтрализовать. Может, как свидетеля того, о чем она пока не догадывается?

Евгения Михайлова

Почему-то Элиза подумала, что вся история с Валерией затеяна против ее отца. Она вспомнила одну из очень немногих ссор родителей. Нечаянно услышала, как мама сказала: «Виталий, дело не в моей ревности, она — моя проблема. Дело в том, что ты со своими женщинами можешь нарваться на серьезный риск. Это случается со многими. И нам с дочерью придется разделить с тобой этот риск». Происходит что-то похожее на предчувствие мамы.

Элиза в доме Петра уже дней десять. Она ничего не знает о Валерии, ее лишили телефона. Впрочем, Петр, поговорив иногда с кем-то междометиями, сообщал ей: «С Валерией все в порядке. Но она тоже не дома. Мое условие остается прежним, как бы ты ни упражнялась в остроумии. Я умею добиваться цели».

Любой мужчина, оставшись надолго наедине с женщиной, которая ему нравится, наверное, мог бы чего-то добиться. Может, этот идиот просто не понимает, что насилие для Элизы исключено? После этого он — враг. Но сама она вполне бы могла прийти с желанием. И делала так. И никакой проблемы. Просто он почему-то объявил об этом сразу, в лоб. Это глупо — как минимум. В сочетании с шантажом затея совсем плохая. Элиза все меньше верит в то, что эта идея принадлежит ему. Он не мог не понимать, что она относится к нему благосклонно, привыкла к общению с ним, ее иногда даже возбуждали сделанные им ее снимки, а это уже был шаг к близости. И такой нелепый, невероятный поступок!

Все эти дни он ее «разогревал», как последний кретин. Приглашал то пары, которые занимались любовью в ее присутствии, то проституток, с которыми вел себя перед ней, как будто по инструкции дешевого борделя или по порнографическому роману. Среди ночи она уходила спать в комнату, которая не закрывалась. Он никогда к ней не лез. То есть якобы осуществлял свою идею — ждал ее неукротимой страсти. И это становилось все менее правдоподобно.

Завтракали они всегда вдвоем. Однажды он, поставив перед ней чашку с кофе, нечаянно или сознательно коснулся ее плеча. Ее лицо осталось спокойным, но тело содрогнулось от отвращения. Они оба это остро почувствовали и оба поняли. Тем не менее все продолжалось. Только Элиза больше не сомневалась в том, что это спектакль. Что ничего он больше от нее не ждет. Просто участвует в каком-то преступлении. И она не покидала этот дом, потому что должна была узнать, в каком. Что случилось или должно случиться. Он в этом не один. Она выполняет их правила. Если они нарушат свои обещания... Если она выживет и узнает, что с Лерой что-то случилось, — тогда месть. Она сумеет найти людей.

Глава 3

Этого не могло не случиться: у Петра начался запой. Он перестал приводить гостей, устраивать свои постановочные оргии. Он заказал по телефону огромное количество спиртного и начал его поглощать. «Нервы сдали, — подумала Элиза. — Понял, что спалился с этой своей «идеей». Значит, действительно имеет отношение к какому-то преступлению».

Евгения Михайлова

Теперь, когда Петр был реально пьян, а не притворялся, прежде всего надо завладеть его телефоном. И если ему позвонят те люди, она может сказать, что по-прежнему здесь, а он пьян. Она осторожно подошла к нему, когда он казался задремавшим, и хотела обыскать его карманы. Он постоянно на себе носит телефон. Но стоило ей до него дотронуться, как он ее схватил. Его лицо расползлось, губы были мокрыми, подбородок тоже. Но руки оказались неожиданно сильными. Ей на мгновение стало страшно. Он ничего не соображает, может сделать с ней что угодно. Она вцепилась зубами в его руку. Сама почувствовала вкус крови. Он взвыл, вскочил в ярости, но она успела в этот момент выскользнуть из его рук и побежала на второй этаж. Он грузно и неровно топал за ней. Она выиграла, конечно, во времени. И увидела, что в замочной скважине одной гостевой комнаты торчит ключ. Она быстро открыла дверь, вынула ключ, закрылась на него же изнутри, там была еще защелка. Элиза осмотрелась, дрожа, увидела лоджию за кружевной гардиной. В крайнем случае она сможет из этой гардины скрутить канат, спуститься вниз. Петр колотил кулаками в дверь, матерился, но дверь была массивной, запоры крепкими. Элиза услышала грохот с его стоном и поняла, что он поскользнулся на мраморной плитке, уронил что-то из мебели и упал. Никогда она еще не чувствовала такого облегчения. Она очень понадеялась на то, что он ударился сильно, потому что стоны продолжались. Это было не злорадство, просто в противном случае он мог бы принести топор, лом, что угодно, и взло-

171

мать дверь. Сейчас, если ему действительно больно, он должен хотеть лишь одного: продолжить пить. К врачу точно не пойдет.

Она в напряжении прислушивалась к тому, как он вставал и падал. В это время в его кармане позвонил телефон. Он не ответил, может, даже не услышал, но она чуть было не рванулась открывать дверь. Этим людям не отвечать нельзя! Они подумают, что она уехала, они убьют Валерию. И она дотронулась до ключа, как вдруг четкая, острая и больная мысль пронзила, кажется, ее всю — от головы до ног. Все случилось. Поэтому он прекратил эти ежедневные спектакли с оргиями, перестал приставать к ней с этой «идеей», ему давно не звонили или уже позвонили, когда она не слышала... И сказали, что Леры нет. Если бы Валерия была жива, она нашла бы их отца, если бы ее, к примеру, просто изнасиловали и отпустили, сюда бы уже кто-то приехал. Лера на самом деле была привязана к ней, гордилась тем, что у нее есть сестра. Элиза вспомнила тот голос по телефону, стон Леры... Господи, как она могла поверить?! Это не та ситуация, в которой девушку отпускают. И Петр напивается, потому что что-то узнал. Он так это переживает, отдыхает... «Да сдохни ты, пьяная скотина», — прошептала Элиза. Что ей делать? Ее лишили телефона. Она не может позвонить родителям. А вдруг что-то случилось и с ними? Валерия ушла в одежде Элизы. Они могли заставить ее встать на пути папы, чтобы он перепутал... Он ведь вообще не знал ничего о Валерии. Он мог выйти из машины, подумав, что это Элиза... Трудно поверить в то, что кому-то могла мешать именно Валерия, и для этого пришлось Элизу лишить возможности появиться дома. Вот так просто получается. Петр заставил их переодеться, привез к себе, потом кто-то вызвал Валерию, потом шантажом велели Элизе не выходить из этого дома. Только теперь ей стало ясно, что Валерию им нельзя было оставлять в живых: ведь она их видела. А они могли с ее помощью куда-то заманить папу. Может, мучили и требовали денег, с бизнесменами это сейчас часто случается. А Валерию просто убрали как свидетеля. То, что Петр и Валерия приехали за ней к Игорю, разумеется, не случайно. Это был сговор. Иначе зачем им еще один свидетель? Элиза с Валерией часто были у Петра вдвоем.

Шум за дверью стал другим. Кажется, Петр спускается по лестнице, но, похоже, просто скатывается. Скорее бы он добрался до своих бутылок.

Она могла бы убежать из этого дома. Но ее сумка, документы, деньги внизу. Ей нужен какой-то телефон. Конечно, проще всего дойти до дома Игоря, но она почти уверена, что делать этого нельзя. Если Петр напился до полной отключки, она бы просмотрела его телефон: входящие звонки, контакты, сообщения. Она могла бы войти в его электронную почту: он живет один, наверняка вход без пароля. Просто надо набрать почты разных ресурсов, и все откроется там, где есть. Кроме того, что она не доверяет Игорю и не собирается его ни во что посвящать, из этого дома ей нужно уйти с информацией. В противном случае у этой компании — а это компания — все получилось. Она даже не сумеет доказать, что ее здесь столько времени держали. Шантажом? Вот уж Петр поерничает всласть! Двери и ворота не были заперты, ее никто не насиловал, она даже факт этих оргий не докажет. Ей в общих чертах понятно все, кроме одного: что и кому давало ее заточение. Но как только она выберется, она узнает, случилось что-то или нет, — вот тогда все прояснится. Сейчас у нее одна идея: добраться до аптечки в холле. Возможно, там есть снотворное, успокоительное. Ей нужно это как-то подсыпать ему в спиртное. Он не из тех мужчин, которые засыпают именно от алкоголя. Это уже понятно. Скорее, наоборот. Он может дойти до очень опасного для нее состояния. А может вообще протрезветь. И она ничего не узнает.

Глава 4

Виталий услышал звонок своего телефона на тумбочке у кровати и сразу почувствовал: это очередная беда. И подумал, как всегда в последнее время, когда случалось только плохое: «Только бы не про Элизу. Что угодно, но только бы не про нее. Лучше ничего не знать, чем узнать что-то окончательно страшное».

Трубку он взял не сразу. Говорил охранник одного из его предприятий. Точнее, почти кричал, голос был хриплым и срывался:

— Мы горим, Виталий Анатольевич! Уже все три этажа! Пожарных и МЧС до сих пор нет.

Евгения Михайлова

— Еду, — сказал Виталий и почувствовал страшную пустоту в голове и душе. Опять пожалел, что тогда не получилось.

Жизнь его последовательно уничтожает. А он всегда считал себя везучим. Особенно в делах и семье. Как легко оказаться жертвой со всех сторон! За что, господи? Он не был вором, негодяем, преступником. У него были обычные человеческие недостатки. Сколько подонков вокруг процветает, и ни один не чихнет за долгие годы абсолютной подлости. Он сам обвинил себя в том, что случилось с Валерией, но если отодвинуть в сторону собственные страдания, то таких историй миллионы. И он поступил далеко не хуже всех. Он обеспечил будущее нежеланному ребенку, прекратил контакты с нечестной женщиной, думал лишь о том, чтобы это все не повредило семье. Лида и Валерия жили нормально, ни в чем себе не отказывая. Конечно, раз она не продала квартиру, работать и не подумала, ей пришлось искать мужчин, которые бы ее содержали. И она их находила не в силу своей сексапильности, его жена Галя, пожалуй, более привлекательна, — а в силу того, что Лида такая. На лбу написано: «Я — содержанка». Ей нужны папики, спонсоры — как это еще называется, а Галя — настоящая жена.

Виталий подумал, что, если сгорит все, — это, конечно, катастрофа. Строение застраховано, разумеется. Но оно заполнено дорогущей аппаратурой, там много наличных денег, важные договоры, а страховки по нынешним ценам не хватит даже на самое скромное строительство. Это катастрофа, но если найдется Элиза, — не такая уж и катастрофа. Мно-

175

гим дельцам приходится выходить из подобных ситуаций. Просто так случилось. К сожалению, его инициатива парализована. Сергей Кольцов сказал, что Элиза не выезжала из России и Москвы. По крайней мере, на самолете или поезде. Да и по поводу машин нет никакой информации. А на дорогах тоже часто проверяют документы.

Он встал, сразу наткнулся на невыносимо драматичный взгляд Гали, которая, кажется, совсем перестала спать, а сейчас уверена, что ему позвонили насчет дочери.

— Фирма моя горит. Уже все три этажа, — почти спокойно сказал он. — А пожарники всё не едут.

— Ужас! — сказала Галя и облегченно вздохнула.

До чего они дожили! Их добивает страх настолько, что они уже боятся что-то услышать о дочери. Но что это за профессионалы?! Он написал столько заявлений, подключил нужных людей, и все они не могут найти одну девушку?.. Бредовые, нездоровые мысли. В стране столько народу, все перемещаются, одна девушка — это иголка в стогу сена.

Виталий приехал к зданию, когда там уже работали пожарные. Уже даже можно было заглянуть в черные окна. Похоже, внутри выгорело все. Осталась надежда только на металлические сейфы и тайники, которые Виталий посмотрит после того, как уедут пожарные. Еще два часа до начала рабочего дня. Как раз приедут сотрудники.

Когда стало возможным войти внутрь, сомнений не осталось. Поджигали именно изнутри. Снаружи облицованное кирпичом здание так бы не горело.

Евгения Михайлова

Сгорели вся мебель, паркет, деревянная обшивка стен, расплавился весь пластик. Компьютерам, телефонам, всей технике — конец. Пламя было настолько сильным, что изуродовало даже несгораемые, сделанные на заказ сейфы. Просто так их не откроешь. Придется вызывать рабочих с инструментами. Плохо быть погорельцем. Здесь стоял его стол, а на нем в массивной серебряной рамке фотография Элизы. На этом фото она подросток. Но у этой девочки, обожаемой, избалованной с первого дня, с младенчества, недетский взгляд. Их с Галей это иногда пугало: может, что-то болит, может, что-то не нравится. Потом они поняли: это такой человек у них родился — серьезный, полагающийся только на себя, изучающий других. Возможно, чтобы подчинить. Почему нет? На том сгоревшем снимке Элиза стояла на террасе их дачи, нежная и красивая, с прямым, твердым, неподкупным, что ли, взглядом. Такому ребенку не скажешь: «Смотри, что я принес». Она не радовалась подаркам, как зависимое существо. Она их просто принимала как должное. Виталий любил эту фотографию за то, что в ней, как ни на одной другой, было отражено это странное сочетание. Нежная красота и сильная воля. Элиза смотрела в объектив, но и не подумала улыбнуться. Ее полные губы не были жестко сжаты, как на некоторых снимках. Они были полуоткрыты. Она пила воздух, она вдыхала жизнь... Деточка моя. Какая боль! Сейчас ему хуже всего от того, что сгорел этот снимок. Он найдет его дома в компьютере... Просто... Что за знак? Ведь у всего происходящего есть какой-то смысл.

Глава 5

Через несколько часов после того, как Виталий уехал, Галина продолжала бессильно лежать без сна в постели. А зачем вставать? Когда была семья, когда надо было вести дом, кормить и поддерживать дочь и мужа, находились время и силы, чтобы по утрам делать серьезную гимнастику, принимать душ, готовить для каждого члена семьи особую еду. Все разные — взрослый мужчина, взрослеющая девочка, она сама, женщина, как говорится, среднего возраста, но сейчас все это было какой-то ерундой. Дочери нет, найти ее не могут, все говорит о какой-то беде. Муж просто попал под каток обстоятельств. Галина, которая считала себя сильным человеком, сломалась. Она — человек порядка. А порядок покинул их дом и ее душу.

Вдруг раздался звонок, она взяла телефон, посмотрела... Странно: скрытый номер. Она даже не понимала, что это такое. Ответила, на другом конце помолчали и оборвали связь. Но звонок, конечно, ее встревожил. Она еще не впала в окончательную и неподвижную депрессию, потому что надежда осталась. Бесчисленное множество ситуаций с благоприятным исходом возможно, когда человек на время пропадает. Постоянно передают о проблемах туристов. Не исключен даже какой-то пеший поход в лес, в деревню, где роуминг не работает. Элиза в школе даже ходила пару раз. Из любопытства. Ей не понравился тогда «пленэр» без удобств, с ночевкой в палатке. Но сейчас может быть другое дело — мужчина, с которым ей хорошо, а связи там просто нет.

Галина встала, умылась, влезла в джинсы, накинула куртку и, не задумываясь, выбежала из дома. Вскоре она уже звонила в квартиру Артема Васильева. Она еще не знала, зачем сюда пришла.

Артем открыл дверь быстро, явно не посмотрев в «глазок». Он посмотрел на Галину испуганно. К этой встрече был, конечно, не готов. Это он следователю почти спокойно сказал, что иногда думал, что хочет убить Элизу. И это было правдой. Но как он может сказать такое ее матери?

— Ты не торопишься в институт? — спросила Галина.

— Да какой там институт, — махнул он рукой. — Проходите. Могу чай заварить.

— Пойдем на кухню, вместе заварим.

В крошечной кухне Артем понял, что сидеть — чаи распивать, не зная, зачем она пришла, он не может. Он встал перед Галиной и долго смотрел ей в глаза. Она что-то знает или, наоборот, у него хочет узнать? Но не дано ему читать женские глаза, понимать их мысли...

— Галина Ивановна, вы мне сразу, пожалуйста, скажите: вы что-то узнали про Элизу или думаете, что я что-то узнал?

— Узнал... — жестко сказала она. — Ты — подозреваемый в убийстве. Сестры Элизы, которую мог перепутать с моей дочерью. Что с Элизой, может, ты и знаешь, но вроде всем говоришь, что ничего не помнишь. Я думаю, что так не бывает, но что-то забыть можно, если пьяный был, а чему-то можно просто не придать значения, а это важно. Я ничего не узнала. Просто мне кто-то позвонил. Молчали. Скрытый номер. Не знала даже, что так бывает. Я подумала, что нужно что-то делать. Раз все это следствие никуда не годится.

— Да нет, они ищут... Скрытый номер? Но мне тоже звонили со скрытого номера. А мелодия была «К Элизе». А у вас?

— У меня нет. Моя обычная мелодия. «Огонь», кажется. С тобой разговаривали?

— Тоже нет.

— Тогда это наверняка один номер, один человек или одни люди, и это имеет отношение к исчезновению Элизы.

— Бывают такие совпадения, даже с мелодией. А мошенников сейчас полно. Пользуются часто одними способами. Я в этом не очень разбираюсь, но вроде какими-то звонками или сообщениями могут деньги снимать...

— У тебя сняли?

— У меня ничего на телефоне не было.

— А у меня было. Немало. И все осталось.

— Мы не будем пить чай? — робко спросил Артем.

— Будем, разумеется. Включи чайник, дай заварку, я все сделаю. Если хочешь есть, могу тебе приготовить.

— Я хотел, но вдруг совсем расхотелось. Нет, только чай. Включил.

Евгения Михайлова

Галина пристально смотрела ему в лицо. Он мог? Если смог Валерию, мог и Элизу, нарочно как-то запутал... Или не нарочно, а как вышло. Сначала понял, что ошибся, потом нашел Элизу... Конечно, ни у кого не было сомнений в том, что он влюблен в Элизу. Но ведь это может быть и мотив. «Не доставайся никому». Галина призывала на помощь интуицию, она так часто ей помогала в сложных ситуациях, но сейчас она как будто умерла. Может быть, бывает такой диагноз — «смерть интуиции»? Если возможна атрофия органов, почему это не может относиться и к психологии, чувствам?..

Она разлила чай, они сели за круглый кухонный стол, сделали по глотку. Галина смотрела на пальцы Артема. Они не дрожали, но он явно не мог держать чашку. Как бывает, когда руки, как говорится, «онемели». Значит ли это, что перед ней человек, убивший и дочь, и ее сестру? Да нет, не обязательно. Может, все наоборот: он в такой же панике, как она, более того, он тоже в ловушке.

Наверное, интуиция Галины вышла из комы. Потому что именно в ту минуту, когда она подумала о ловушке, Артем сказал:

— Галина Ивановна, у меня теперь есть адвокат. Мы с ней были на месте убийства Валерии. У нее есть вопросы к следствию. И она хочет, чтобы следователь, а это ее муж Сергей Кольцов, организовал мне следственный эксперимент. С той же дозой алкоголя в крови, с кокаином — был и кокаин. Настя считает, что такой сильный и точный удар я не мог бы нанести, даже если бы перепутал с Элизой.

— Как ты сам считаешь? — гневно спросила Галина. — Что ты все на кого-то ссылаешься: кто-то думает так, кто-то не так. Ты мог или не мог?! Ты сидишь и смотришь в глаза матери! Ты лжешь. Я не верю в то, что ты до сих пор не знаешь. Опьянение и даже передоз проходят. Память возвращается. Ты же не идиот!

— Я не хотел даже это начинать. Чтобы все было объективно, проверено и все такое. Но раз вы так... Я скачал к себе альбом фотографий Элизы. Она мне разрешила. Я смотрю на нее каждую ночь. Допустим, я сошел с ума тогда, меня переклинило. Я мог бы броситься на мужчину, если бы с ним обнималась, как мне показалось, Элиза. Вроде Валерия могла быть с мужчиной. Но я никогда не смог бы даже просто ударить Элизу. И Валерию в ее одежде. Я не мог! Но все улики указывают, что смог. И я думаю: вдруг такое бывает?

— Ты любишь Элизу?

— Если бы я узнал, что она жива, пусть с другим где-то, как всегда, я был бы счастлив даже в тюрьме. Оказалось, что моя жизнь сама по себе ничего не стоит. Она должна быть на земле, где угодно, только в этом случае моя жизнь имеет смысл. Вот такая петрушка со мной приключилась, Галина Ивановна.

— Господи, — выдохнула Галина. — Нет ничего больнее любви. Как в «Песне песней»:

Положи мя, яко печать, на сердце твоем,
яко печать, на мышце твоей: зане крепка,
яко смерть, любовь, жестока, яко смерть,
ревность: стрелы ее — стрелы огненные.

— Примерно так, — сказал Артем.

Евгения Михайлова

Глава 6

Элиза несколько раз за ночь спускалась босиком по лестнице, подкрадывалась к кухне, где в густом запахе алкоголя сидел Петр. Временами его голова лежала на столе, глаза были закрыты. Но Элиза не торопилась, и он открывал их через несколько минут. Количество пустых бутылок увеличивалось на полу. Он не закусывал. Его путь в туалет тоже можно было пройти по запаху. Оттуда он возвращался, не застегивая молнию на джинсах. Наверное, она могла бы убить его только от отвращения, но этот дикий, безумный зверь был настолько сильнее... А ведь она знает его не первый год. И считала обаятельным, интеллигентным, талантливым. Старшим другом. Конечно, ей казалось, что он ее желает. Наверняка так и было, он делал ее портреты не просто как профессионал, а как влюбленный в модель художник. Он никогда так долго и так продуманно не снимал Валерию, других женщин из их компании. Но никогда ни о какой близости речи не было, никаких дурацких намеков, лишних прикосновений. Она считала: в этом его ум и такт. Он старше вдвое, у нее множество претендентов с большей перспективой, они могут обеспечить ей совсем другое будущее. Он талантлив в своем деле, но совсем не известен и не популярен. Столько бездарностей сумели пролезть к звездам, стать богатыми. Пиарить себя. Он не сумел. Или не захотел. И Элиза его за это уважала. Не любила она проныр. Короче, были замечательные отношения с умным и тактичным старшим другом, который оказался абсолютной скотиной — тупой, опасной и неизвестно, на что способной. Она просто обязана что-то узнать.

Идея — вытащить у него телефон — по-прежнему оставалась неосуществимой. Но он уже столько часов сидит за этим столом, передвигаясь лишь в направлении туалета. Студия, к сожалению, тоже на первом этаже. А там несколько компьютеров, большие мониторы. Но Элиза, может, впервые в жизни почувствовала страх, когда он ее схватил, и не решалась войти в студию, включить компьютер, просто поискать. Там масса портретов и групповых фотографий. Она твердо решила унести, сколько сможет. Если он помогает бандитской группировке или состоит в ней, там вполне может быть фото похитителя или убийцы Валерии. Они обманом заставили ее проторчать здесь столько времени, она должна принести следствию все, что возможно. Поскольку его телефон вообще перестал звонить, значит, эти люди уже скрылись, только Элиза может помочь их найти.

Она быстро отбежала от двери кухни. Петр встал, шатаясь, что-то бормоча, куда-то направляясь. У этого типа оказался какой-то немыслимо выносливый организм. Нормальный человек уже, наверное, умер бы от такого количества спиртного. А он даже не спит уже столько времени. И помнит, подонок, где туалет. Значит, не забыл, где студия. Она быстро и легко поднялась на второй этаж. Здесь его спальня и кабинет. В кабинете тоже есть компьютер. Обрабатывает фото он как раз там. Ближе по коридору была спальня. Она потянула дверь, которая открылась. Элиза вошла. Мебели совсем мало, надо поискать телефон, хотя бы еще один у него должен быть. Она первый раз в этой комнате. Она осмотрелась и оторопела: огромный женский портрет в состаренной деревянной раме, под стеклом. Над кроватью — на половину стены. Элиза сначала была уверена, что это Валерия, просто очень искусно отфотошоплено. Прекрасная дама в греческой тунике положила полную красивую руку на подоконник. Все на этом снимке как настоящее. Дама как живая, удивительно передан цвет кожи — розовато-смуглой, глаза смотрят на Элизу, небольшие, темные, но такие, будто душу насквозь видят. Даже большой топаз на тунике светился, как натуральный камень под солнечным лучом. Солнечный луч золотил полную грудь, почти открытую, и округлое плечо.

Элиза подошла ближе. Нет, это, конечно, не Валерия. Очень похожа, но Валерия не такая полная, у нее крупные уши, да и стати такой у нее быть не может, и никакой фотохудожник это не добавит. Может, это актриса? Но почему они так похожи? Ох, Элиза совсем забыла, Валерия ей рассказывала, что Петр знаком с ее матерью. Наверняка это она и есть. Вспомнилась фраза сестры: «Мама всегда из себя строит греческую богиню». Да, это мать Валерии, дочь значительно проще. Но как это все объясняется? Петр хранит этот портрет в своей спальне... Может, у них любовь? Они должны быть примерно одного возраста. Тогда что значит вся эта история с Валерией, эти звонки, ее стоны? Зачем они держат здесь Элизу?

— О! — раздался за спиной уже неузнаваемый голос, как будто забулькала переполненная бочка. — Сюрпрайз! Так и знал, что ты ко мне в постель полезешь.

Глава 7

Лидия Сикорская вошла в кабинет Сергея с очень недовольным, даже злым лицом. Она не ответила на его приветствие. Села на стул и язвительно спросила:

— Вам зарплату случайно платят не за количество сеансов-допросов в день? Я не поняла, почему вы ко мне привязались? Я — пострадавшая, у меня убили дочь. Это я должна от вас требовать информации. Но у вас ничего нет! А таскать меня сюда, задавать дурацкие вопросы — вроде дело идет, да? Мне все говорят, что вы сроду никого еще не находили, никаких убийц. Но в нашем случае как раз нашли парня, на которого всё показывает? А почему он не в тюрьме?

— Он под подпиской о невыезде. Этого, как мне кажется, достаточно. Все или не все на него показывает — это не простая задача. Мы ее решаем. Он старается помогать следствию. Сам предложил следственный эксперимент. Я просто начал с вашего последнего вопроса. Что касается первого, то я сейчас бюджетник, поскольку занимаю должность бюджетника, уехавшего в отпуск по семейным обстоятельствам. Как пострадавшая, желающая, чтобы преступление было раскрыто, вы должны сообщить нам

Евгения Михайлова

все, что может иметь отношение к убийству. А это очень многое, это именно то, что можете знать только вы — мать. Понимаю ваше подавленное состояние, но хамский, прошу прощения, тон принять не могу. Мы пытаемся разобраться в тяжелейшей и очень странной истории. Одна из странностей — вокруг Валерии прямо перед убийством были в основном знакомые люди. Она зачем-то приехала с мужчиной в дом Сечкина, уехали они оттуда втроем с Элизой. Элиза пропала. Совпадение? Видео мужчины, с которым была Валерия, у нас есть. Не очень хорошее качество, неудачные почему-то ракурсы, хотя техника неплохая. Но в общих чертах узнать можно, если, к примеру, видели этого человека раньше. Я не мог видеть. Убита ваша дочь. Могу вам сообщить, что мужчина на видео похож на вашего мужа Стивена Боровицкого. И я ему показывал. Кроме того, что у Боровицкого алиби — он был в Альпах, есть свидетели, кроме вас, — при ближайшем рассмотрении это явно не он. Хотя Игорь Сечкин называет имена, немного похожие. Например, Стив, Стик и так далее. Хотелось бы, чтобы вы посмотрели это видео. Сейчас появится. А кто-то из ваших знакомых или знакомых Валерии похож на вашего мужа?

— Глупый, извините, вопрос. Для вас многие могут показаться похожими. Все брюнеты плотного телосложения в возрасте сорока лет постороннему человеку кажутся похожими. Для жены на ее мужа никто не похож. Хотя таких мужчин, как я описала, даже в банке Стивена немало.

ГОРОД СОЖЖЕННЫХ КОРАБЛЕЙ

Сергей молча взял со стола указку и обвел ею на мониторе силуэт мужчины, который стоял рядом с Валерией. Затем сменил ракурс. Приблизил и увеличил его голову даже не в профиль, а чуть повернутую со спины. Мужчины нет нигде анфас. Или он знал, где камеры, или Игорь Сечкин умудрился убрать самые четкие изображения. Он в этом явно мастер. Это не говорит пока о его соучастии, всего лишь о нежелании быть втянутым в круг подозреваемых. Что понятно. Версия Стивена Боровицкого о том, что это мог быть он с Валерией, но задолго до событий, — остается тайной следствия — Сергей обещал. Подозревает Сечкина в подлянке против себя. Больше его, кажется, никто не интересует.

Лидия встала, подошла к монитору, смотрела долго и пристально. На лбу появились три глубокие морщины.

— Действительно немного похож на Стивена. — Она уже говорила другим тоном, нерешительно, медленно. — Ну, и еще на нескольких знакомых. Но я никого не могу точно узнать. Одно дело — видеть живых людей, другое — плохое изображение на видео. Так что ничем не могу помочь. Валерия жила во многом параллельной жизнью, не слишком делилась со мной. Не могу предположить, с кем она встречалась во время нашего отсутствия.

Сергей выдержал долгую паузу. Затем сказал тихо, но настолько всерьез, что Лидия побледнела:

— Прекратите лгать и выкручиваться. Вы узнали человека, который стоит рядом с вашей дочерью. Я смотрел на вас! Мне этого достаточно. Вы понимаете, что ситуация приобретает совершенно другое качество?

— Нет. О чем вы?

— Вы, разумеется, потерпевшая. Но Виталий Никитин подозревает вас в преступном замысле. Он считает, что вы могли заказать его дочь Элизу для того, чтобы Валерия, ваша общая дочь, стала единственной наследницей. Наследовать есть что.

— Валерия...

— Да. Убита. Но это могла быть ошибка исполнителей, которые не знали, что девушки переоделись, а у них, возможно, было фото Элизы в этом пальто.

— Вы с ума сошли! В чем вы меня обвиняете?! — Лидия пыталась говорить гневно, но голос ее предательски дрожал.

— Пока — в ложных показаниях. Вы настолько хотите что-то скрыть от следствия, что это сильнее желания матери найти и наказать убийцу дочери.

— Дочь не вернуть вашими допросами... — вырвалось у Лидии.

— О как! Цинизм, однако. Вы узнали человека, который, возможно, убил вашу дочь. И скрываете его от следствия. Чем это можно объяснить? Вас действительно что-то связывает, и за Элизой эти двое приехали не случайно в ту ночь, когда у вас и у вашего мужа было алиби? Но у заказчиков не бывает алиби. Это понятно? Вы перестарались.

— Что вы говорите! Что вы накручиваете! Да, мне показался знакомым этот человек, но я не уверена и совершенно не хочу его впутывать в эту историю.

— Убийство вашей дочери — для вас уже история? Любопытно. И я объясню, что именно любопытно. Вы настолько не хотите называть этого человека, что, скорее всего, допускаете, что он мог съездить к Сечкину с Валерией с целью увезти Элизу. Вы уверены, что он в чем-то замешан, возможно, это убийца Элизы. И он вас сдаст как заказчицу, вот и перевод чудовищной фразы: «Дочь не вернуть». Зато убитую Элизу можно будет найти.

— Я отказываюсь с вами разговаривать без своего адвоката.

— Приводите адвоката. Ваш статус ввиду явно ложных показаний меняется. Вы — подозреваемая.

— Но у вас есть подозреваемый!

— В убийстве Валерии. Парень был нетрезв, его могли подставить или спровоцировать. И вообще — количество подозреваемых не лимитировано. Просто мы на него первого вышли. Мы с ним работаем. Но он мог видеть только одну девушку тем утром — одну или с мужчиной. Это ваша дочь. В это время другой человек, возможно, должен был по вашему плану убить Элизу. Такая получается версия. Показания вы будете теперь давать в присутствии психолога, в том числе на детекторе лжи. Такое мое решение. Сейчас распишитесь здесь. Это подписка о невыезде. Поскольку человек, который вместе с Валерией приехал за Элизой, уже наверняка скрылся, то на детекторе лжи в присутствии психолога, эксперта вы будете давать показания по этому видео завтра.

— Как вы со мной говорите... У меня горе. Я не могу сосредоточиться.

— Нет у вас горя. Мать так себя иногда ведет, но это, значит, такая мать. Приходилось встречаться. Думаю, дальше терять время на пустое общение бесполезно. Завтра за вами приедут.

Сикорская пошла к двери так тяжело, как будто у нее подошвы прилипали к полу. У двери она повернулась:

— Этот человек никуда не скрылся. И никого не убивал. Что там девчонки напутали, что случилось, я не знаю. Просто это не чужой мне человек. Я знаю его давно, задолго до Стивена. Я не могла ничего говорить из-за мужа. Стив ничего не знает. Но теперь уже все равно.

— Вы сейчас будете говорить?

— Мне плохо, — произнесла Лидия и сползла по стенке на пол.

Глава 8

Настя вечером скачала себе все материалы по делу Артема Васильева с разрешения Сергея. На следующее утро Сергей, проснувшись, конечно, не обнаружил ее рядом с собой. Зато на ее подушке в обнимку сопели в такт Олежка и Май. Да, сегодня же суббота. Бедный ребенок пришел к маме, может, есть захотел, но его согрела только собака. Это удивительно, но крупный пес и уже не совсем маленький ребенок для своих девяти лет могут компактно уложиться в самый маленький уголок. Настя всегда старалась занимать в постели как можно меньше места, потому что Сергей любил развалиться так, чтобы каждая рука или нога отдыхали отдельно. Она его очень жалела. Считала, что он слишком много работает, что дела у него настолько тяжелы для души, что пусть хоть тело немного отдохнет. Сергей специально, конечно, ничего не усугублял, но ему было комфортно в ауре теплой, нежной, благоуханной женской жалости. Их взаимное влечение оставалось таким же сильным, как в первый день открытия любви, но началось все, казалось Сергею, с ее сострадания. Она представила себе, что он рискует жизнью, охотясь за преступниками, испугалась, пожалела. И лишь в какую-то другую очередь сработали его обаяние, его внешность голливудского актера в роли сыщика. Сначала все это было против него. Она сама сказала, что сначала он показался ей слишком самовлюбленным.

Так. Он устает, поэтому сладко продрых всю ночь, может, даже храпел, а она точно не ложилась. Он это знает, потому что всю их семейную жизнь в самом глубоком сне ищет ее рукой рядом. И в самом глубоком сне понимает, есть она или нет. Интересно, так теперь будет часто? Она, конечно, работает по делу Артема. Май прерывисто всхлипнул во сне, малыш что-то во сне же пробормотал. Сергей засмотрелся, потом почувствовал такую горячую и чистую волну от этой парочки, что его глаза опять блаженно закрылись. Всё. Все уплыли. Их скромная кровать превратилась в корабль счастья.

Когда Сергей в следующий раз открыл глаза, на электронных часах было одиннадцать утра! Олежек и Май отбирали друг у друга какую-то игрушку, и со-

Евгения Михайлова

вершенно точно смеялись оба. А Насти нет! И никто не завтракал, не гулял. Ничего себе — жена, мать, хозяйка.

— Так, ребята, — бодро сказал Сергей. — Быстро решаем: что делать — есть, гулять или искать маму?

На него радостно уставились две пары красивейших глаз: ярко-голубых, как у него самого, и темно-карих.

— Папа, — звонко сказал Олежка, — Май говорит: гулять и есть. Взять с собой. А маму чего искать? Вот она стоит и смотрит на нас. Молчит. Она так делает, когда ночью, например, торт печет. Чтобы мы проснулись и удивились.

— А мне почему-то кажется, — постарался весело сказать Сергей, — что она ночью просто думала, что нам испечь. Придумала, но очень устала, сейчас спать хочет. Потом испечет.

— Видишь, сынок, что значит папа сыщик, — улыбнулась Настя. — Мне даже говорить ничего не нужно, он сам все расскажет. Да, так и есть. Завтрак я всем приготовила, но вы все-таки сначала погуляйте, на улицу его взять трудно. А я немного посплю и сделаю торт. Всю ночь искала в Интернете. Похожий на розу. У меня не все есть для крема, я напишу на бумажке. Папа сходит в магазин. Да, еще малину для украшения нужно купить. В общем, с таким важным делом торопиться не стоит.

— Ух ты! — воскликнул Олег. — И крем, и малина! И Маю немного дадим.

— Ну, он-то не будет, — сказал Сергей.

— Еще как будет!

— Ой, зачем же я это при... разгадал. — Сергей встал и, направляясь в ванную, посмотрел Насте в лицо. Бледная, с темными кругами под глазами, но сами глаза спокойные, уверенные. Так у нее было когда-то, когда ей удавалось решить сложную задачу.

— Ну, что? — тихо спросил он.

— Нормально. Кое-что есть. Потом покажу.

— Мои проколы искала?

— Да нет, конечно. Просто есть другие варианты.

— Уже есть? Откуда?

— А они были, — спокойно ответила Настя. — Просто на тебя сразу свалилось все, а я рассмотрела это понемножку, по миллиметру. В общем, завтрак на столе, осталось тебе умыться, ребенка умыть, прогулять их с собакой, потом помыть собаку. Список для магазина действительно составлю. Только поскорее освободите мне кровать. Иначе прямо тут, на пороге, лягу и усну.

— С тортом я погорячился.

— Да нет, торт — это хорошо. Глюкоза, что всем нам нужно для мозга, ощущение праздника и семьи. Наше спасение — эти идеи про торт. Иначе мы были бы не родители, а садисты.

— Это конечно. Я вот только не понял: а до какого возраста нужно умывать так называемого ребенка? Парню девятый год. Почти девять.

— Разумеется, он прекрасно умоется и сам. Но кто-то из нас должен его вдохновлять, чтобы это было на самом деле прекрасно. Девятый год — это не тридцать и не сорок. Это именно так называемый ребенок. Нужно всегда напоминать ему, как правильно чистить зубы, что это дело требует времени, а не тяп-ляп, помыть уши, шею... Это все ведь малышу не очень хочется, меньше, чем гулять или торт, правда?

— Понял. Меня сегодня запрягли по полной программе. Но в том, что Олежек схалтурит с зубами, ушами и шеей, — не сомневаюсь. Сам маму в детстве пытался обмануть. Но с ней в этом смысле тоже было непросто.

— У тебя какие-то планы были? Тогда я...

— У меня были планы — лежать с тобой и целоваться. Как минимум. Но мы завели этого белобрысого нахаленка, мы должны обслуживать не менее распущенную собаку, а ты, моя дорогая, все же должна выспаться, а не качаться на пороге, замученная и бледная. В чем я виноват однозначно. Такое дело тебе предложил! Сам! Нет ума — считай калека.

— Есть у тебя все, — улыбнулась Настя. — Только уходите побыстрее. А потом у нас все будет здорово и по порядку. Найдем время — покажу тебе, что у меня получается. Это минут пять, я ведь тугодумка.

— Это так называется? Туго думать, как потуже меня связать, чтобы я в каком-то направлении уже не продвинулся?

— А вдруг ты со мной согласишься? — Настя обняла Сергея за шею, прижалась к нему.

Это сразу решило его сомнения. Он свистнул Олежке и собаке, и они освободили Насте спальню. Они еще были в ванной, когда она начала проваливаться в сон, ощущая как великое блаженство их тепло, родной запах. Она никогда не забывала, что для нее это смысл всего.

Глава 9

Лидия Сикорская позвонила Сергею, когда они только пришли домой с Олежкой и собакой. Тон у нее был совсем другой по сравнению с последним разговором.

— Извините, — сказала она, — сегодня у вас выходной день, но я все рассказала Стивену — неважно что, но он велел вам позвонить, иначе мы странно будем выглядеть, так он считает. В общем, вы правы были. Я точно опознала человека, который был с Валерией. Это мой давний друг и фотограф Петр Голиков. Его, кстати, хорошо знает и Виталий Никитин. Он нас и познакомил. Для фотосессии. Живут они в одном районе. Он фотографирует меня до сих пор. Фотографировал до последних событий. Знает Элизу, Валерия их познакомила. Она мне об этом сказала: «Петр делает такие красивые портреты Элизы, а я, видно, его не интересую».

— С кем он живет?

— В сексуальном смысле не знаю. Семьи нет.

— Адрес.

Лидия назвала московский адрес, потом добавила:

— У него есть загородный дом.

— Адрес?

— В том поселке, где живет Игорь Сечкин. Через два дома.

— Вы знакомы с Сечкиным?

— Н-н-нет. Просто Лера говорила, что это мужчина Элизы и что они с Петром у него бывали.

196

Евгения Михайлова

— С какой целью?

— Моя дочь дружила с Элизой. Это ее сестра. Как я вам уже говорила, дочь не посвящала меня в подробности. Но Петр — фотограф. Он всегда снимает. Полагаю, Элиза была для него подходящей моделью, он мог искать разные интерьеры.

— Спасибо. Вы подарили мне рабочий день.

— Я же извинилась.

— Да нет, я серьезно поблагодарил. Просто у меня такой юмор.

Сергей разъединился и задумался о том, является ли откровенной ложью Сечкина то, что он не знает соседа по поселку. Не факт. С этим Сечкиным все не факт. Он ведет замкнутый образ жизни. В таких пафосных поселках все построено таким образом, чтобы люди друг другу не мешали. А достаточно известный бизнесмен и талантливый, по словам Лидии, но не слишком известный фотограф могли не встречаться в другой ситуации, кроме той, о которой известно: Валерия привозила Петра к Сечкину и Элизе поздно вечером или ночью. Сечкин мог не знать, где он вообще живет. Но почему все-таки на видео Голикова нет в анфас? Ладно. Начинаем работать. Вот и ниточка. Сергей позвонил своим ребятам, пообещал на неделе каждому по очереди свободный день и... «По коням».

Сергей вошел в спальню, там уже розовая и безумно красивая Настя сладко потягивалась и улыбалась ему. Сейчас она ужасно расстроится, как переживает всякий раз, когда ему нужно внезапно уехать. Он сел рядом, обнял ее страстно и тоскливо. «Чертова работа. Чертова жизнь. Я бросаю такую женщину в свободный день».

— Мне нужно уехать, милая. Есть информация по поводу Элизы и Валерии. О человеке, который с ними был. Более того, есть адреса. Я уже поднял ребят. Но торт не отменяется. Оставьте мне кусочек. Где твоя бумажка? Я успею в магазин.

Настины глаза стали, как обычно перед самой маленькой разлукой, глубокими и несчастными. Если в них появятся сейчас слезы, он все отменит. У него может быть своя жизнь? Но она сдержалась, понимающе кивнула, сказала:

— Что ты. Надо спешить. Я выспалась, сейчас все сама схожу куплю.

— Нет уж. Я свои обещания выполняю. Это полезно и как пример для сына. Он у нас несерьезный. Мягко говоря.

— Ну, разве что в этом смысле... Для воспитания. Сходи.

...Они приехали на двух машинах. В подъезд, где была московская квартира Голикова, их пыталась не пустить консьержка: «Его нет. Если бы был, я должна ему позвонить». Но Сергей все равно заставил ее пропустить их, показав удостоверения. Они поднялись на пятый этаж, долго звонили.

— Слушай, Серега, — сказал Вася, в котором пропал домушник. — Давай я открою. А то колотимся тут, как «чайники».

— Успокойся. В этом деле найдется применение твоим талантам. Его действительно может не быть дома. Есть еще один адрес — загородный дом.

— Но там будем вскрывать, если что, — мечтательно-маниакально произнес Вася.

— Посмотрим. Человек может быть вообще ни при чем. Он всего лишь с одной девушкой зашел к соседу, где была другая девушка. Так получилось, что одна убита, другая не выходит на связь и нигде не светится. Нам не дадут ордер.

— Если мы будем просить его, — философски заметил Вася. — А получилось странно, тебе не кажется?

Глава 10

Элиза изо всех сил старалась не проявить страха. Она даже улыбнулась Петру.

— Вообще-то в постель к тебе я не собиралась. Просто гуляла по этажу, делать нечего, ты, скажем так, занят. Дверь была приоткрыта, и я увидела этот портрет. Засмотрелась. Такая работа отличная, а ты никогда мне не показывал.

Элиза говорила эту ерунду, а думала о том, что Петр еле на ногах стоит. То есть иначе быть не может. Он столько выпил. Он не спал и ничего не ел. Она сейчас как-то отвлечет его внимание и быстро выскочит в открытую за его спиной дверь. Правда, она очень неудачно стояла: рассматривая портрет как можно ближе, она оказалась с другой стороны его огромной кровати. Пока она будет ее обходить, он сможет перегородить ей проход. Элиза еще ближе подошла к портрету, протянула руку вперед, показывая ему на украшение туники.

— Это просто удивительно, как тебе удалось поймать солнечный луч в этом топазе. Я глаз не могу оторвать.

— Да что ты говоришь! — проговорил он, и она содрогнулась от того, что язык его больше не заплетался, а глаза смотрели пристально и недобро.

На Петра перестал действовать алкоголь! Он пьет и трезвеет. Вот теперь это действительно ловушка. Она провела здесь столько дней фактически добровольно. Ей просто говорили, что убьют Валерию, если она уедет. И у этого было на самом деле логичное объяснение. Она — свидетель того, что Валерия в ее одежде отсюда куда-то уехала. Они могли не знать, сказала она что-то сестре или нет. Элиза считала, что Леру обманули какие-то насильники, потом выпустят и скроются. Теперь ей понятно другое: этим людям нужно было время для того, чтобы убить Валерию и потом замести следы. Или... Валерия с ними, и преступление совершено против их общего отца. Элиза вспомнила бесконечные истории о разного рода вымогателях. Она подумала и о том впервые, что Валерия — незаконная и брошенная папой дочь. Она — алчная. Ее мать, судя по твердому и недоброму взгляду на этом портрете, может быть мстительной. А если они похитили не Валерию, а как раз папу, пытали, заставили написать завещание на одну дочь, а потом... Дальше развивать эту версию Элиза не могла. Теперь ей не просто выбраться из дома человека, который перестал быть пьяным, но, похоже, озверел. Возможно, он считает, что ее выпускать

Евгения Михайлова

опасно. Возможно, он вообще свихнулся. Их силы, мягко говоря, неравны.

— А что я не так говорю? — заговорила она обычным тоном, как будто всё, как раньше, когда она могла общаться с ним, как с другом. — Кстати, почему ты никогда не показывал мне этот портрет? Это лучшее из того, что я у тебя видела. И кто эта красивая женщина?

— Это дорогая б... Которая мне всю жизнь не по карману. Но она так любит это дело, что дает мне иногда совершенно бесплатно. Из-за нее я и не женился. А вдруг она захочет меня, а дома жена... Такой у нас сюжетец. А ты решила в дурочку поиграть?

— Не поняла.

— Да поняла. Я хорошо тебя знаю. После Лиды ты вторая женщина в моей жизни, которую я так хочу. Но в отличие от нее ты плевать на меня хотела. Я для тебя — прошлогоднее дерьмо.

— Какой бред! Мы — друзья. Ты сделал столько моих отличных снимков, мы хорошо общались, ты никогда ничего такого не предлагал. Я понятия не имела, есть у тебя кто-то или нет. Я думала, у нас отличные, человеческие отношения. Но ты не сказал, почему я решила в дурочку поиграть, как тебе кажется?

— Потому что я тебя знаю и сказал уже об этом. Потому что ты не могла не понять, что на портрете мать твоей сестры. Они очень похожи, многие путают.

— Я тоже сначала подумала, что это Валерия.

— А потом поняла, что нет. Потому что у дорогой проститутки родилась дешевая прошмандовка.

201

И никаких ее портретов я не делал. Скажу тебе как фотограф. Из дешевой женщины сделать дорогую никакой фотомастер не сможет. Вот ты — дорогая женщина, еще более дорогая, чем Лидия. Вот я тебя и снимаю. Так ты не сказала, почему соврала?

— Я не соврала, я просто не была уверена в том, что это мама Леры. Я ведь ее не видела.

— А что ты вообще делаешь в моей спальне?

— Интересный вопрос. Я на него уже отвечала. Пока ты пьешь на кухне, я даже туда поесть зайти не могла. Боюсь пьяных. Ждала, пока ты протрезвеешь. Я гуляла по площадке, увидела открытую комнату, вошла.

— Да что ты говоришь! Так все просто? У тебя? Не бывает у тебя ничего просто. Ты могла сто раз отсюда свалить. Но сначала я был слишком трезвый, потом слишком пьяный: ты выйти боялась — только сейчас ты решилась что-то поискать. Что?

— Боже! Какая конспирология! Да. Я хотела найти какой-то телефон. Наверное, ты знаешь, что из моей сумки пропали телефон и документы. Мне нужно позвонить родителям, непонятно?

— Такая мамина-папина дочка?! Меня душат слезы. Да ты им можешь месяц не звонить. Так было, когда ты с твоим кренделем наняли меня фотографом, путешествуя по Европе.

— Но у меня был айфон, ноутбук, мама звонила по скайпу. Разницу понимаешь? Они могли со мной связаться в любой момент, зная, что я не люблю звонить. Сейчас они не могут!

— Понимаю, — вдруг спокойно, без всякой агрессии сказал он. — Бери телефон, звони.

Петр достал смартфон из нагрудного кармана джинсовой рубашки и протянул Элизе. Ей вдруг показалось, что его помешательство, вызванное алкоголем, прошло. Она облегченно вздохнула, подбежала... Он одной рукой больно схватил ее за плечо, другой сунул телефон обратно в карман.

— Вот теперь ты попала. Идиотка. Ты осталась шпионить? Ты решила, что так легко меня сдашь? Да ты никуда теперь не выйдешь. А могла свалить только так. Ты не выйдешь никогда! Даже мертвой. Как твоя сестричка. Грохнули ее уже давно!

Глава 11

В машине Сергей пробил телефоны и точный адрес загородного дома Петра Андреевича Голикова. Но сначала они проезжали дом Сечкина.

— А давайте навестим Игорька, — предложил Сергей. — Как-то он у нас все время не при делах. И не знает никого, и ничего не видит. И камеры слежения у него такие же, как он, — лживые. А техника — последнее слово. При его скупости и богатстве каждый человек, который войдет в дом, должен быть запечатлен до мельчайших деталей. А тут практически спина везде. Незнакомого, как он говорит, типа. Я хочу на свои видео взглянуть. Я не знал сначала, где камеры.

— Не понял, — сказал Вася. — Мы вроде нового подозреваемого едем искать. Что за спешка — опять слушать бредни этого дятла? Голиков увел двух девушек. Одна убита, другая — неизвестно.

— Ну, то, что Элиза не может быть в доме Голикова, мне кажется, ясно. Если бы она просто поехала пожить у него, ну, хотя бы для того, чтобы посниматься, мать уже давно бы до нее дозвонилась. Не убил же он ее, посветившись у соседа под камерами.

— Так не очень и посветился, — заметил Вася. — Без Сикорской ни за что бы не опознали.

— Ну, я уже говорил: Сечкин в этом профи. Он мог убрать его, оставив только самые неясные изображения, до нашего прихода, на всякий случай. Одна версия — чтобы не иметь отношения к делу. Но есть ведь и другая: они в сговоре на самом деле. Девушки ушли с Голиковым из его дома, перешли практически в соседний, там переоделись, после чего одна попадается на глаза Артему, убита, вторая — где? Валерия убита там, где живет как раз Элиза, а не Валерия. И дом Голикова неподалеку. Понимаешь, Вася, разгадка жужжит, как муха, и не ловится. Да, мы едем к Голикову. С чем? Ну, он скажет нам, что девушки зашли к нему, он их в лучшем случае сфотографировал, когда они поменялись одеждой, это уже было, у Артема есть такие фотки. А потом они могли просто уехать вдвоем или с кем-то еще. Он — фотограф и, как выяснилось, любовник Сикорской. Трудно предположить, что ему захочется привезти к своему дому дочь любовницы, чтобы зверски убить.

— Тогда в чем именно они в сговоре?

Евгения Михайлова

— Не знаю. Сечкин скользкий, как улитка. Мы приехали к нему с обыском, он и его легко отменил с помощью этих видео и якобы новой информации. И жадный он, как не знаю кто. А вдруг они с Голиковым помогли похитить Элизу, просто продать ее какому-то подонку? Из всего, что о ней говорят, даже родители, ясно, что девушка очень непростая, переборчивая, волевая. И при этом красивая. Такие вещи бывают.

— Да бывают, ясное дело, — сказал Вася. — Я только не понимаю, как мы что-то вытащим из этого Сечкина. Хотя я легко поверю, что он может продать любимую девушку. Он и мать продаст, если найдется покупатель. Давай зайдем. Поспрашиваем. Мне тоже кажется, что у Голикова мы просто так ничего не узнаем. Действительно скажет, что уехали, — и все. И это может быть правдой, может быть полным враньем, но что мы с ним сделаем? Время ушло. Мы в то утро Артема нашли. Знали бы, что Голиков рядом, что имеет к девушкам отношение, хотя бы зашли, — отпечатки обуви взять. Теперь и снег растаял, и обувь наверняка другая, и если сам ничего не захочет рассказать, как мы вытащим? Просто от вранья этого Сечкина уже тошнит, честное слово. Опять же связи, адвокаты, чуть пережмем — прессня начнется.

— Ладно, не ной. Не в первый раз.

Сергей позвонил Игорю Сечкину по телефону. Тот ответил, тут же разъединился, и ворота его ограды разъехались. Он встретил их на ступеньке террасы, кивнул в знак приветствия, но смотрел довольно мрачно. Не нравится. А кому нравится?

— Игорь Валентинович, можно мы сразу пройдем в гостиную, где у вас камеры, с которых вы нам видео давали?

— Зачем?

— Ничего не пойму. Как будто у вас все камеры в один момент заглючили. Человека, который приехал с Валерией, почти не видно. Так, силуэт, практически со спины, где-то немного повернута голова, но опознать сложно.

Игорь пожал плечами:

— И чем я могу вам помочь? Как говорится, чем богаты, тем и рады. Что было, то и отдал. Вы видели, что давал.

— Да, видел, надеялся, вытащим. Не получилось. И все же можно пообщаться не на ступеньках? Нам нужно войти в ту же комнату. Вы — не простой свидетель. Обе девушки ушли из вашего дома. Одна убита, другую не можем найти.

— А я при чем? Рассмотрели вы — не рассмотрели, но вы видели, что был человек, с которым они обе и ушли.

— Мы не видели, как и с кем они ушли. Короче, у нас напряженная работа, мы на ногах бываем сутками, давайте все же пройдем туда, куда мне нужно.

В гостиной ребята сели, Сергей подошел к ближайшему ноутбуку, включил и сунул флешку.

— Видите? — спросил он у Игоря.

— Я видел и тогда, когда отдавал вам. Я сделал для вас все, что мог. Остальное — ваши проблемы.

— Думаете? — Сергей присел на подлокотник кресла. — А выглядит это как ваши проблемы. Посмотрите, как четко видна Валерия, здесь и Элиза. Они часто стоят лицом к камере. А мужчина — ни разу.

— Мои проблемы?! Это я виноват, что чужой мужик стоит не так, как вам хочется?

— А если произнести простое слово «почему», может, мы найдем ответ?

— И почему?

— Вариантов всего два. Или вы убрали часть записей до нашего прихода, или, что еще горячее, мне кажется, человек прекрасно знал, где у вас камеры. Он привык от них уходить. Вы хорошо знаете этого человека, знаете, зачем он пришел в тот раз. Это ваш сосед Петр Голиков, фотограф.

— Я не знаю вообще никаких соседей. Этот тип мог приходить с Валерией. Я объяснял, что мне это не нравилось.

— У вас сохранились записи того дня, когда мы приехали с обыском?

— Зачем?

— Хочу посмотреть, как я получился.

— Есть, конечно. Найду, чтобы вы поняли, что я ничего не уничтожал.

Сергей вывел изображение на монитор и довольно улыбнулся:

— Вася, вот скажи: ты меня с кем-то перепутаешь? Вот получаюсь я так, как... только я и получаюсь.

— А как здорово хлопаешь глазами прямо в камеру, — восхитился Вася. — Любишь позировать.

ГОРОД СОЖЖЕННЫХ КОРАБЛЕЙ

— Ага... Встану иногда на пьедестал и говорю: «Я памятник себе воздвиг нерукотворный...» И так далее. Игорь Валентинович, один наш сотрудник останется с вами, пока мы подъедем к Голикову. Может, вы все же согласитесь пообщаться по-соседски. Короче, это не обсуждается. Очная ставка. Но сначала мы послушаем его.

— Начинается произвол, — произнес Сечкин посиневшими почему-то губами.

— Это так называется? — удивился Сергей. — Мы ищем вашу любимую девушку, сестру которой уже нашли убитой. Они вышли из вашего дома, чтобы переодеться в доме соседа, и одно большое несчастье уже случилось. Разве мы работаем не в ваших интересах? А вы... Странный вы, господин Сечкин. Очень интересно, какой у вас сосед. А вдруг вы все же узнаете друг друга... Нет?

Глава 12

Настя сидела в сквере, у того места, где нашли убитую Валерию. Время от времени на скамейку рядом с ней присаживались разные люди. Кто-то отдохнуть с тяжелой сумкой, кто-то пива выпить, одна пара села, чтобы поцеловаться. Настя с не свойственной для нее обычно коммуникабельностью первой вступала со всеми в беседу. Очень мило, корректно, на абстрактные темы. Лучше всего работает погода и время года. Все Настины собеседники поведали, как реагируют на весну. Кто устает, у кого депрессия, у кого сонливость, у кого, наоборот, бодрость и желания совершать великие дела: типа окна мыть и копать грядки на даче. Настя тоже рассказывала про свою лень, как неосторожно пообещала испечь торт мужу и сыну. Получала советы. Красивой, нежной и простой в общении женщине очень легко входить в доверие, вызывать симпатию. Людям льстило, что они показались ей достойными собеседниками. Каждый думал, что только он вызвал такой интерес.

— Ой, — в каком-то месте разговора говорила Настя. — Я тут случайно к знакомой приехала, обратно пошла по этому скверу к метро, мне так здесь понравилось, решила посидеть на солнышке. И мне одна женщина такое рассказала! Что тут девушку убили! Тогда еще снег был. Но убийцу так и не нашли. Это правда или она придумала? Может, с каким-то бредом по телевизору перепутала. Место такое — оно же зимой все просматривается. А она сказала, что было утро.

Кто-то сказал, что ничего об этом не знает. Несколько человек подтвердили: это точно было. Настя просидела там несколько часов. И наконец одна пожилая женщина сказала:

— Я сама видела. Я тем утром бежала к дочке: ей на работу, а мне нужно с маленькой внучкой сидеть. Смотрю под ноги, скользко было. Навстречу девушка идет, по параллельной дорожке. Полноватая, в пальто с капюшоном, но она его на голову не надела, на спине был. Я особо не рассматривала, да и не увидела бы лица, к примеру, у меня зрение плохое. Мы поравнялись, прошли мимо. Я сзади какой-то странный звук услышала, даже не стон, а тихий хрип.

— Вы и убийцу видели?

— Видела, если это так называется. Зрение, говорю, очень плохое. Коренастый мужик с толстой палкой в руке. Девушка уже лежала.

— Вы не позвонили в полицию?

— Да у меня и мобильника нет. И страшно было — еще убьют как свидетеля, и дочка у меня на таком предприятии, что опоздать ни на минуту нельзя. Побежала я. Я же не знала, что убили. Потом мне и соседи рассказывали, и по телевизору вроде передавали. Полиция увидела ровно то, о чем я рассказываю, а больше я ничего не знаю.

— Меня зовут Настя. А вас?

— Анна Семеновна.

— Анна Семеновна, я адвокат. Полиция тогда по свежим следам вышла на парня, который имел, будем считать, отношение к этой девушке. На самом деле он знал ее сестру, но девушки переоделись. Но этот парень очень высокий. Тот, которого вы видели, — высокий?

— Говорю же, коренастый. Широкий, но не длинный.

— Вы видели только одного человека? Убийцу? Больше рядом никого не было?

— Мне показалось, что вроде еще кто-то рядом стоял. Но когда видишь такое... Я ни за что не ручаюсь. Я была в панике и убегала.

— Анна Семеновна, тот парень, которого нашли по следам, мог просто проходить мимо. Мог остано-

виться уже у тела. Он шел с вечеринки, был нетрезвый, когда его нашли, он тоже был так потрясен, что
готов был поверить следствию, что это он убил.

— Так, может, это он там у дерева стоял?

— Он возвращался один. Есть его следы до трупа
и после, до самой квартиры. Да, может, как-то и при-
частен, но вы поймите: это большой срок, следователи нашли еще какие-то улики. Нужен конкретный
свидетель, такой, как вы.

— Но вы же говорите, что его следы и еще улики...

— А вы говорите, что убивал широкий и не очень
высокий человек. Парень — худой. Не все следы
проверяли. Сразу как-то сошлось. А теперь, после
вашего рассказа, распадается. Обвинение практически готово. Это сломанная жизнь, а он кончает институт, будет ученым. Его родители ученые. Я прошу
вас помочь разобраться. У вас внук, мальчик. Они
попадают в беды.

— Что я могу? Я рассказала все.

— Я прошу вас быть моим первым свидетелем защиты и поучаствовать в следственном эксперимен-
те. Это недолго. Просто вы встанете на то же место,
с какого оглянулись в тот день на хрип, а мой подза-
щитный возьмет ту палку, которую нашли, и ударит
муляж.

— Я бы не хотела. И дочь будет против.

— Знаете, я тоже не хотела лезть в это страшное
дело. Я — адвокат без опыта. А потом подумала: кто,
кроме нас, женщин, должен искать правду, чтобы
спасать наших мальчиков, попавших в беду. Сыновей, внуков...

Анна Семеновна вдруг почувствовала страх и горечь. На губах загорелись следы крошечных пяточек, которые она недавно целовала.

— Хорошо, — сказала она. — Запишите мой телефон.

— Я могу использовать ваши показания?

— Да!

Глава 13

Дом Голикова был довольно простым, не изуродованным украшениями-символами «из грязи в князи», даже имел свой стиль. Что-то типа усовершенствованного домика в деревне, но все немного небрежно, наружную отделку явно бросили, не завершив. Таких домов было немного в этом поселке. Сергей сразу заметил, что ворота не заперты, чуть прикрыты. Они оставили машину у забора и вошли без звонка. Позвонили сразу во входную дверь. Не раз. Долго не открывали. Сергей потянул дверь на себя, она оказалась открытой.

— Странно. Он что, так всегда оставляет? Какие люди разные. У Игорька от жадности и страха перед грабителями крышу полностью снесло, а этому совсем, что ли, терять нечего? — удивился Сергей. — Хотя он фотограф. Там у него аппаратура, компьютеры. Неужели все так и оставляет, когда уезжает?

— Машина вообще-то во дворе. Даже в гараж не загнал. Хотя мы не знаем, сколько у него машин, — поднялся на террасу Вася. — Но если на звонок никто не отвечает, а дверь открыта, значит, можно и войти. Здесь или ждут всегда гостей, или, может, кому-то плохо. Мы точно обязаны посмотреть.

Сергей потянул тяжелую дверь, все вошли в холл, и Вася радостно произнес:

— Ошибся я. Здесь кому-то не плохо, а здорово хорошо.

— Да, — подтвердил Сергей. — Есть народное поверье или, как бы это назвать, когда никто не проверял, но все знают. Вроде в таком алкогольном концентрате можно топор повесить. Если в этом доме есть топор, у нас есть возможность сделать научное открытие. Добрый день, Петр Андреевич. Мы звонили, потом подумали, не случилось ли чего-то плохого, раз все настежь. Оказывается, вы дома.

— И какого черта вы сюда приперлись? — любезно спросил коренастый мужчина с проседью в темнокаштановых волнистых волосах, глядя на них красными глазами.

— Мы, собственно, по работе, — вежливо объяснил Сергей и подошел к Голикову с раскрытым удостоверением.

— И в чем дело?

— Знаете, вопрос немного странный. Несмотря на свой не очень презентабельный вид и сильный запах алкоголя, вы кажетесь достаточно адекватным. Зеленых чертиков ведь не ловите, нет?

— Это вопрос по вашей работе?

— Ну, да. Господин Голиков, вы в курсе, что Валерия Сикорская, дочь вашей давней подруги, убита?

— Вроде слышал. Чем могу быть вам полезен?

— Наверное, многим. Ведь именно вы увели Валерию и Элизу месяц назад назад из дома Игоря Сечкина, как он показал.

— Сечкин сказал, что я увел?!

— Он показал запись с камер, вас опознали.

— Кто? Не секрет?

— Вообще-то тайна следствия. А что за проблема — вас опознать? Вы — популярный фотограф, вас очень многие знают.

— А кто сказал, что я их уводил?

— Сечкин и сказал. Что мужчина, который приехал с Валерией, увел обеих девушек. Они уходили от него каждая в своей одежде, а Валерию утром нашли в пальто и платье Элизы... Поскольку мы видели ваши снимки, когда девушки менялись одеждой, можно предположить, что переодевались они у вас. Элиза эти снимки давала тому, кто попросит. Сами понимаете, она любит сниматься, а потом ей нравится, чтобы это видели. Какие-то снимки вы девушкам не давали. Возможно, слишком эротические, о чем говорит несовпадающее белье на Валерии: корсет Элизы, чулки ее. Она что-то не успела снять, когда уезжала. Кто ей позвонил? Или приехал?

— Откуда я знаю?! И вы можете что угодно предполагать, а я говорю, что они уехали вдвоем, а я пошел спать и пить. У меня запой.

— Ответ ожидаемый. Придется посмотреть в вашей студии, снимали вы их той ночью или нет.

— Да ты что себе позволяешь, мент...

Голиков, набычившись и сжав кулаки, пошел на Сергея. Тот улыбнулся, положил руки ему на плечи и сделал легкое движение коленом. Голиков оказался сидящим на полу. Все молча ждали команды.

— Ребята, работаем, — ровно сказал Сергей. — Петр Андреевич нас неправильно понял. Мы сейчас убедимся в том, что девушки в ту ночь у него не переодевались, он их не снимал. Может, он сумеет вспомнить по разговорам, куда и с кем девушки уехали, как могло получиться, что Валерия была найдена недалеко от его дома в Москве. Может, он знает, где в таком случае Элиза. Короче, небольшая помощь следствию — и он остается в статусе свидетеля, а не подозреваемого. Мне кажется, товарищ начинает трезветь. Студия, судя по всему, вот, направо.

Два сотрудника направились к раздвижной двери большой студии. В это время, как всегда, неизвестно откуда появился Вася.

— Серега, минуточку внимания. Не все так просто. Вот что я нашел на лестнице на второй этаж. Причем на разных ступеньках. — Он держал в руках женские комнатные тапочки. — И не было бы в этом ничего странного: у фотографа бывают разные женщины, если бы эти не были реально теплыми еще. Здесь женщина или есть, или была максимум десять-пятнадцать минут назад. Я в этом спец. А не Элизу ли нам здесь лучше поискать? Со студией никогда не поздно. Может, она тут сидит где-то и даже крикнуть не может — с кляпом во рту.

— С кляпом или без — в этом разберемся. Тапки берем на экспертизу, если ее, то это тоже без проблем выяснится. Голиков, женщина сейчас есть в вашем доме? Это не Элиза Никитина?

— Да пошли вы... Ройтесь сколько влезет. Я отказываюсь отвечать на идиотские вопросы. Ко мне может зайти кто угодно и точно так же уйти. Кляп... Дебилы!

— Ситуация, которая называется «оперативной необходимостью», ордера не требует. Мы можем найти еще живую девушку, оказать ей помощь. Дебилы — не дебилы, вам уже выбирать не приходится.

Глава 14

Настя испекла торт, погуляла с сыном и собакой. Перед тем как их покормить, секунду подумала: может, позвонить Сереже, вдруг он уже подъезжает, они подождут. И, как всегда, отказалась от этой мысли. Он всегда не один. Ситуация может быть очень сложной. Не стоит его отрывать, она просто покормит Олежку и Мая, уложит их спать, а сама подождет мужа. Ведь на самом деле она просто хочет, чтобы он побыстрее приехал. Это ее вопрос, как обычно говорит Сергей по рабочим поводам.

«Ее вопрос» немного мешал ей получать удовольствие от веселья ребенка и собаки, от Олежкиных каждый день новых «фирменных» слов и шуток, от того, как понравился ее ужин, а торт вызвал бурный восторг. Потом еще немного времени было, чтобы дождаться спада веселья. Они с Олежкой пошли в ванную, он старательно и демонстративно очень правильно мылся и чистил зубки, затем в теплой пижамке, как белый медвежонок, важно направился в детскую. У него было удивительное свойство. Отправляясь спать, он буквально засыпал на ходу. Этот малыш просто любил все в жизни: сон, еду, собаку, свои игры и даже некоторые предметы в школе. И он любил Настю и Сергея точно так же, как в два и три года. Настя всегда с удовольствием наблюдала за детьми друзей, они ей нравились, но прятала мысль о том, что она никогда не встречала такой открытой привязанности к родителям, как у их ребенка. Такой безоглядной уверенности в том, что они очень родные. Господи, как всегда, про себя взмолилась она, пусть это никогда не пройдет. Ведь впереди подростковый трудный возраст.

Олежка вдруг оглянулся, внимательно посмотрел на нее и сказал:

— Понеси меня, мам, а?

— Ой, — растерялась Настя. — Ты же большой!

— Ну и что? Папы нет, он смеяться не будет. Я хочу, чтобы ты мне пела.

— Что творится! Я не умею петь. И на папу ты зря наговариваешь. Может, он и смеялся бы, но ты как-то постоянно висишь на нем.

— Значит, я еще не очень большой, раз вы меня поднимаете.

— За логику — «пять», — сказала Настя и подняла на руки свою дорогую тяжесть.

Он тут же уютно свернулся, обнял ее за шею, тепло задышал в лицо. Ей казалось это чудом: он остается совсем ребенком. Она замурлыкала песню Поля Мориа «Мама». Ей самой ее пела мама. Как-то перевела слова, и после этого Настя всегда сдерживала слезы от любви и нежности. Малыш затих, прикинулся воробышком, и она довольно долго носила его по комнате и пела. Пока не увидела, что он крепко спит.

Мая она обнаружила у двери в прихожей. Он тоже спал и в то же время ждал хозяина. «Как я», — подумала Настя. До замужества она больше всего любила уединение. Выходила замуж в достаточно взрослом возрасте. Все привычки остались, а эту — быть одной — как будто ливнем смыло. Ливнем любви. В детской сладко сопит ребенок, вот преданная собака посмотрела на нее, как на свое большое счастье, а она будет сейчас маяться, и бродить по квартире, и смотреть с балкона, и слушать звуки поднимающегося лифта, как будто жизнь ее томительно и мучительно замирает до того момента, когда повернется ключ в замке входной двери. Иногда это ее тяготило, как болезнь, как рабство, она даже с самим Сережей никогда не делилась этим. Но как потом все окупалось в один момент, как опять шли дела и появлялись радость и вкус к жизни. «Какая тяжкая ноша — любовь», — вдруг подумала Настя. И сразу вспомнила об Артеме. Парень с детства страдал от неразделенной любви. Он испытал столько страданий и мук: обида, ревность, даже желание мести... К нему пришли следователи и сказали, что он убил, и он сам поверил! Но Настя в это не верит. Может, поверила бы, если бы так не полюбила сама. Все же был Отелло... Но сейчас Настя не верит даже Шекспиру. Разные ситуации были у них с Сережей. Он очень самодостаточный, привык к вольной жизни.

Евгения Михайлова

Иногда Настя испытывала и гнев, и ярость. Иногда не могла с ним говорить по нескольку дней. Но всегда после этого она, как будто не по своей воле, искала для него оправдания. И, разумеется, находила. Нельзя вынести окончательный приговор объекту любви. Ибо это ты и есть. Она подумала, что легко возразить: мол, мужчины и женщины разные. Дело хотя бы в том, что мужчина физически сильнее и может просто не рассчитать силы... Но если поднял руку, — значит, не любит. А Артем любит.

Может, у Сережи спросить: он мог бы ее ударить, если она ему изменила? «В теории это не решается. — Настя мысленно пошутила практически в духе Сережи. Черный юмор — его конек. — Тут можно только провести следственный эксперимент, то есть — изменить». За то, что он постоянно забывает ей позвонить, она обязательно расскажет ему о своих мыслях. Отомстит. И посмотрит на реакцию. У него богатое воображение, и он мгновенно смоделирует в уме эту ситуацию. Интересно: загрустит, рассердится? Ясно, что вслух пошутит. Но она все поймет.

Короче, надо брать себя в руки и направляться к компьютеру. Она так и поступила, вернула снимки следствия с места убийства, затем показания Артема, первые, практически признательные. Вот так лежит девушка, здесь дерево. Первая свидетельница Насти Анна Семеновна сказала, что там вроде бы кто-то стоял, когда девушку убивали. У нее плохое зрение. Но следы ведь есть под этим деревом на снегу. Конечно, экспертиза не даст результата по минутам, точнее, не дала. Кто-то мог остановиться после того, как Валерию убили. Кто-то прошел мимо. Но вот эти два четких следа — рядом с телом. Отпечатки ботинок с рифленой подошвой, принадлежащих явно одному человеку, находятся на большом расстоянии друг от друга. Следы Артема, обведенные красным, — рядом. Он тоже явно там стоял. Но ноги не раздвинуты. Вот его следы, он идет дальше, к дому. Между отпечатками двух ботинок примерно одинаковые расстояния. А человек для нанесения удара, такого, смертельного по силе удара, как правило, широко ставит ноги.

Как отвечает экспертиза на вопрос, с какой высоты был нанесен удар? Вот. Они допускают, что поскольку Валерия — невысокого роста, то Артем нагнулся. А на самом деле... Ладно, она не будет ничего пока подгонять под свою версию. Просто если она права, обнаружится не одна ошибка. Не с той высоты, не там следы на палке, на куртке может быть кровь уже убитой девушки...

Раздался звонок ее телефона.

— Привет. Торт съели? — Голос у Сережи какой-то упавший.

— Оставили тебе половину. Не приедешь через пять минут — съем. Свинья ты все же! Даже не поинтересовался, как у меня дела по делу Артема Васильева. А у меня что-то есть.

— Да свинья — сто процентов. Обязательно спрошу. Только торт я вам дарю на полное съедение. Не знаю, когда приеду. Девочка, я так сегодня тупил, я все пустил под откос. Из-за меня мы время потеряли, приехали к новому подозреваемому, нашли его пьяным, а на лестнице женские тапочки. Снятые или потерянные минут за пятнадцать до нашего приезда. Мы сейчас в лаборатории. Это тапки Элизы. Дом обыскали полностью, ее там нет. Владелец у нас, выдыхает алкогольный туман, нагло отказывается что-либо говорить по 51-й статье, чтобы против себя не свидетельствовать. Представляешь, Элизу могли увезти убийцы или похитители, и все из-за моей дури!

— Успокойся! Она могла просто убежать от пьяного человека.

— Не могла. Я только носом там все пути-дорожки к дому не прошарил. Нет там свежих женских следов. Машины, конечно, проезжали. В доме есть ее вещи. Там и сейчас группа работает. Так что ты ложись спать, Настена, постараюсь к утру, если на что-то не выйдем. Если выйдем, тебе с Олежкой и Маем гулять.

— Да, конечно, — сказала ровно Настя. — Я в любом случае с ними погуляю. Ты такой после ночи будешь... — И подумала: «Легко сказать — ложись спать». — Минуточку, Сережа. Мне одна свидетельница убийства сегодня сказала, что убийца был коренастым и высоким его никак назвать нельзя. А этот фотограф какого роста?

— Он не очень высокий, конечно, но достаточно крупный мужчина среднего роста. Но раз появилась свидетельница, покажем... Ты молодец.

— Не знаю... Она плохо видит.

— Разберемся. Забудь это все, поругай меня и ложись спать.

Глава 15

Этот тип ударил ее, Элизу, по лицу! Ей было больно, но не от боли вспыхнула страшная ярость. Это даже не Голиков, которого она знала не один год и который имел право на то, чтобы считать его сложным человеком. Но это — не человек. Это подонок, подзаборная рвань. Он ударил ее?! Он должен за это заплатить. Но сейчас она ничего не может поделать: их трое. Ей придется вести сложную игру. Элиза не произнесла ни звука, она не шевельнулась, отвела взгляд, чтобы никто не мог ничего прочитать в нем, слизнула кровь с разбитых губ.

— У тебя тут молчанки всякие не получатся, — произнес, шепелявя, парень с плоским лицом, каким-то плешивым ежиком на голове, крошечными глазками. Они, такие, все на одно лицо. С этим все ясно. Криминал. Она очень редко видела таких на своем пути, но иногда смотрела криминальные хроники. Любопытно другое. Он дергается. Он чего-то боится.

— Значит, молчанки не получатся? — Элиза говорила тихо и спокойно. — А о чем мы могли бы поговорить? И почему это нельзя было сделать в доме Петра? Зачем надо было меня хватать и куда-то везти?

— Вот дрянь, — сказал второй, сидящий на диване, очень похожий на первого. — Вмажь ей как следует, Никит. А потом, может, мы с ней того...

— Заткнись, — сказал Никита. — Заткнитесь оба. Вы ниче не соображаете. Слушай ты, Лизка. Ты спалилась. Ты хотела, чтобы мы остались у Петра? Ты его кому-то уже сдала?

— Не понимаю, о чем вы. Кому я могла его сдать? У меня же нет телефона. Возможно, он у вас. И, кроме того, с какой стати? Петр Голиков — мой личный фотограф и приятель. Я была у него в гостях.

— Люблю сказки. — Никита сплюнул на пол сквозь выбитый зуб. — Ты там сидела, потому что мы тебе сказали там сидеть. Из-за своей сеструхи. Мы с ней развлекались. И мы не знали, что Голиков там нажирается, пока ты шаришь по его дому. Да у него там, наверное, сотни телефонов. Я просто не стал тратить время — искать.

Так. Он действительно боится. Элиза не думала, что у Голикова сотни телефонов, была почти уверена, что это не так. Она довольно часто там бывала и не видела, чтобы телефоны повсюду валялись. А так бы и было, если бы они существовали. Может, где-то в ящиках, старые, давно разряженные. Вдруг четко всплыла в памяти его фраза из какого-то разговора: «Память у меня плохая. Свой телефон не всегда могу вспомнить. А если его потеряю, то никому позвонить не смогу». Эти типы знают Петра плохо. Но они связаны чем-то преступным. Как-то так получилось. Никогда подобных людей Элиза не видела у Петра. Ясно, что они вызвали тогда Валерию. Он сказал: «развлекались». Петр сказал, что ее убили. Но этот Никита однозначно считает, что из-за Элизы у них будут проблемы более серьезные, чем из-за Валерии. Это он, значит, тогда позвонил Петру во время сцены в спальне, понял, что тот пьян, а двери в его доме всегда открыты, и они примчались за ней. Что из этого вытекает? Они ее убьют, как Валерию? Из этого всего не вытекает даже то, что Валерию убили. Петр все это время был то почти нормальным, то абсолютно невменяемым. Странная мысль, но она опять вернулась к Элизе. А вдруг Валерия здесь? И нужно им всего лишь — подписать какие-то бумаги в ее пользу. У Элизы были счета, на нее записаны домики в Словении и Черногории. Может, Валерия с кем-то уехала, с тем, кто все это придумал. Эти хмыри — тупые исполнители. Но им надо точно знать, что она никуда не позвонила. Зачем им понадобились целых две недели? Вот хотя бы для того, чтобы кто-то все узнал, подготовил документы.

Может, попробовать испугать? Сказать, что позвонила? Нет. Нельзя им, конечно, говорить, что она позвонила. Отморозки. На все способны. Могут начать пытать и спрашивать, куда и кому. Надо, конечно, отрицать, но так, чтобы сомнения и вопросы остались.

— Никуда я, конечно, не звонила. Но пыталась у пьяного Петра узнать, где моя сестра. Мне можно пойти в туалет и ванную?

— Надо бы не пускать такую, но я добрый, — прошепелявил Никита. — Щас пойдешь. А ты, Костик, смотайся по-быстрому к дому Голикова. Только осторожно. Сначала в окна посмотри. Если никого нет, поспрашивай у него, она звонила или нет. Пусть телефоны покажет. Мы ж даже его айфон не проверили. Он такой бухой, что она могла запросто взять и позвонить.

Евгения Михайлова

Элиза смотрела, как один недочеловек встал, горестно вздохнул, посмотрел на деревянный стол, где стояла бутылка водки и лежали круг колбасы и батон. Они все уже мечтали о пире, но явно были в ранге ниже Никиты. Тот, который был Костей, покорно пошел к выходу.

Когда он ушел, Никита отвел Элизу в совмещенный санузел какой-то заброшенной, запущенной квартиры. Видимо, это у них вроде «офиса». Дверь изнутри не закрывалась, но он туда и не лез. Она вышла, вошла в ту же комнату, где он себе наливал водку и отрывал кусок колбасы. Третий «товарищ» сидел на расстоянии, на табуретке и держал стакан и бутерброд в руках. О, какая «вертикаль». С этим Никитой еще не все достойны рядом находиться. Элиза села на грязный, потертый диван. Никита выпил, закусил, подобрел, покраснел.

— Хочешь? — протянул ей кусок хлеба с колбасой и стакан с небольшим количеством водки.

Элиза взяла, стакан поставила на стол, из колбасы с хлебом сделала подобие дикого бутерброда, откусила. Есть, как ни странно, хотелось. А совместная трапеза смягчает ситуацию. Его глазки приобрели тусклый блеск от еды и выпивки, он явно пытался придумать тему для светской беседы, но ничего не выходило, кроме междометий. Время между тем шло. Элиза страшно устала. От попыток что-то придумать разламывалась голова. Был момент, когда Никита откинулся на спинку кресла и глаза его закрылись. Но нет, он не уснул. Элиза поднялась, потянулась, она хотела подойти к окну, чтобы попытаться понять, в каком районе находится. Но он посмотрел на нее подозрительно, исподлобья и сказал: «Сиди».

И вдруг дверь распахнулась, и на пороге появился гонец. Он мог бы ничего не говорить. Все было написано на перекошенной физиономии.

— Никита! — кричал он. — Там кто-то во дворе роется. Я издалека увидел, тормознул у другого дома, постоял, потом объехал — и сюда.

— А в квартире его смотрел?

— Да! Я дверь открыл, она была закрыта на ключ, который мы у него отобрали тогда. Никого нет! Никит, она нас сдала!

Глава 16

Там-та-там-та-там-та-там... Та-та-та-там... Та-та-та-там...

Артем открыл глаза, понял, что на этот раз не телефон звонит. Ему на самом деле просто приснилась мелодия «К Элизе». И Элиза ему снилась. Не такая, как сейчас, не взрослая, не чужая, а школьница. Это воспоминание он прятал от себя много лет. Иногда, очень редко, доставал из главного сейфа памяти, как великую драгоценность. Рассматривал, грелся в лучах. Надежда поднималась, как растоптанный цветок, но он все это гасил, опять закрывал сейф. Это была защитная реакция от боли отчаяния. Завтра опять она его не заметит, уедет с кем-то. Он останется сзади в пыли, как нищий, чью протянутую за подаянием руку не заметили.

Евгения Михайлова

Но сейчас он подумал иначе. Это было. Это принадлежит только ему. Куда бы она ни уехала, с кем бы она ни была, жива она или нет, но это у него отнять нельзя. Пока он жив.

Был школьный вечер в старших классах, посвященный танго. Сначала выступали ребята из танцевальных студий в профессиональных костюмах, с концертными номерами. А потом танцевали все. Кто-то из девочек крикнул: «Белый танец», и руку Артема сжала теплая маленькая ладошка. Он повернулся: это была Элиза. «Пошли?» И ничего бы, конечно, особенного, он, наверное, ближе всех к ней стоял, и вообще они не раз танцевали на вечерах и вечеринках. Просто в тот раз кое-что произошло. Что-то чудесное. Только вот как его назвать, это событие, если, строго говоря, ничего и не происходило. И никто ничего особенного не заметил. Просто он и через годы точно знает: что-то тогда между ними случилось. Пусть на минуту, на пять, но это было чудо. В тот момент, когда он притянул ее к себе, как требовало танго, она вдруг подняла голову вверх и так посмотрела ему в глаза... Не картинно, в ней позерства нет вообще, не кокетливо — этого никогда не было по отношению к нему, а... Она что-то почувствовала. Она его почувствовала. Как женщина, как возлюбленная, как перед блаженством. Сейчас, когда он уже знает любовь женщин, он в этом не сомневается. Это был даже не безадресный зов плоти, она потянулась именно к нему. И пригласила его не потому, что он стоял ближе всех.

Артем помнит все до секундных изменений. Элиза не улыбалась, но ее нежный рот чуть приоткрылся, как будто для произнесения слова, которое осчастливило бы его. Глаза стали серьезными, томными и зовущими. А он уже тогда знал о ней все. Она не эмоциональная и не восторженная. Она четкая и организованная. И еще девочкой строила сама и свою жизнь, и свои отношения. Что из этого вытекает для него, который живет с тем взглядом, ее ароматом и ощущением упругого, нежного, податливого только для него тела столько времени? Только одно. Он никогда не вписывался в ее программу. Он не имел отношения к ее планам. Но было в ней то, что она не сумела и не захотела сдержать и скрыть тогда. Пусть это было очень недолго. Какая разница? Он мог бы, наверное, уже на ком-то жениться. И жить, как все, — нормально, скучно. Или отравил бы кому-то жизнь. Но он тогда стал особенным. Посвященным. Может быть, беды, которые сейчас на него посыпались, — это плата? За капельку счастья?

После танца она быстро пошла к выходу. Он видел в окно зала, как она села в машину, которая ее ждала. Было темно, он не рассмотрел даже: это машина с ее водителем или очередной претендент появился. Нет, он тогда сознательно не стал рассматривать, что за машина. Он еще побыл на вечере, поговорил с кем-то, пошутил, посмеялся, потанцевал. И пошел один домой. И не спал в ту ночь ни минуты, потому что знал: другой такой ночи не будет.

Евгения Михайлова

Артем полежал немного, прислушиваясь, есть ли кто-то из родителей в квартире. Тихо. Или ушли на работу, или бегают консультироваться с разными адвокатами. Приходят с таких встреч, как правило, расстроенные, ни с чем. Если кто-то и соглашается, то за космическую сумму, при этом не проявляя даже нулевой заинтересованности. Речь всегда идет о возможности технических ходов, которые могли бы поставить в тупик следствие. О сокращении срока в перспективе. Мысль о том, что он может быть невиновен, адвокаты воспринимали как обычную родительскую блажь. Или представляли себе, как серьезно, на разрыв, нужно работать, чтобы попытаться пошатнуть обвинение. А хотелось бы просто произнести речь и получить гонорар.

Родители, а тон задавала мама, не отнеслись серьезно к тому, что Артем подписал договор с Настей Кольцовой. Она понравилась по-человечески Галине. Но трагедия их жизни требовала чего-то основательного. Уверенного в себе профессионала, серьезного мужчины, с портфелем и в очках. А Настя сама сказала, что и опыта нет, ее муж тоже, кажется, не сильно в нее верит. Он думал, дело будет простым. И ее успехом станет приговор «убийство в состоянии аффекта». Сейчас Сергей явно не хочет, чтобы его жена оставалась в этом деле. Это все действительно травматично для нежной женщины. Галина была уверена, что, если ей удастся найти авторитетного и небезразличного адвоката, Артем согласится расторгнуть договор.

229

ГОРОД СОЖЖЕННЫХ КОРАБЛЕЙ

Артем не спорил. Он очень повзрослел за это время. Ему самому казалось, что он стал стариком. Смотрел, как собственная жизнь, будто шагреневая кожа, корчась, уменьшается у его ног. И он стал как-то лучше видеть других людей. Понимать и жалеть родителей: что их ждет? Сейчас, уверен он, им так легче: бегать, консультироваться, искать волшебника, который во всем разберется, всех их спасет, пусть и разденет до нитки. Сам же Артем ни на кого Настю менять не собирался. Разве что она сама откажется. А она не такая уж слабая и нежная, как показалось маме. Похоже, она отказываться не собирается, и даже ее муж на нее не повлияет.

Артем ничего не знал об адвокатах и век бы никого из них не видел, но, общаясь с Настей, почувствовал одно. Она приняла его боль в свое сердце. Дальше может быть что угодно. Но не такие чудесные люди вокруг, чтобы им повезло найти другого такого человека.

В институт он не ходил. Все равно отчислят, когда узнают. Да и не мог он тратить время ни на что, кроме ожидания. Вдруг ее найдут? Вдруг она появится? Он должен что-то узнать до того, как все начнется с ним всерьез. В том, что его арестуют со дня на день, он не сомневался.

Он наполнил ванну горячей водой, лег, пересмотрел свой сон, затем тот школьный вечер танго и чуть не пропустил звонок телефона, который положил на полку над раковиной. Телефон звонил долго. Артем вскочил, увидел номер Насти, ответил.

Евгения Михайлова

— Слушай, — сказала она. — Я уже не знала, что думать. Почему ты так долго не брал трубку?

— Задремал в ванне. Что-то случилось? Они согласились проверять меня как психа?

— Это будет, конечно. Но немного по другому поводу. Я нашла свидетельницу убийства. Она видела не очень высокого человека. Коренастого. Понимаешь? Не-вы-со-ко-го! А ты очень высокий и худой. У нее плохое зрение, но все это проверяется. Главная версия пошатнулась.

— Да?! И что теперь?

— Теперь много всего. Но я не сказала главного. Соберись. Элиза вчера была у своего фотографа. Возможно, она была у него все это время, со дня убийства Валерии. Подробностей не знаю.

— Это правда? Ее нашли? Где она?

— Тут плохо получилось. Ее кто-то увез буквально за пятнадцать минут до того, как приехала следственная группа. Кто увез, куда, — я пока не знаю. Сережа не ночевал дома. Фотографа взяли. Он отказывается говорить.

— То есть она с кем-то уехала? В этом смысле?

— В другом. Похоже на похищение. Артем, оставайся дома. Я жду информации. Ничего не нагнетай. Все же твоя ситуация с появлением свидетеля становится светлее. Ты согласен?

— Конечно, — сказал он, провалившись в полный мрак.

Нажимая «отбой», Артем слышал, как Настя говорила: «Ты меня понял? Никуда не уходи из дома!»

Элиза у каких-то бандитов? Ее мучают, насилуют, а потом убьют, как сестру? За что? Она бросала мужчин, это может быть чья-то месть. Сначала просто перепутали с Валерией. У фотографа она могла, к примеру, прятаться, узнав об опасности. Настя сказала, что ее увезли вчера, может, она послала ему прощальный сон, погибая...

Глава 17

Стивен, как всегда по утрам, занимался продолжительной, серьезной гимнастикой в той комнате, из которой они сделали тренажерный зал. Впрочем, он редко вставал раньше десяти-одиннадцати часов. Дело поставлено, мог приезжать на работу после полудня.

В комнату вошла Лида, не причесанная, не подкрашенная, в каком-то затрапезном халате. «Где такой нашла?» — подумал Стивен. Она постояла, пока он не закончил упражнения и не взял полотенце — вытереть пот.

— Здравствуй, Стив, — сказала она.

Он не ответил. Лида устало села на банкетку. Ей тяжело, плохо, и она не сомневалась, что Стивен все только усугубит. Не ревнует же он ее на самом деле после того, как она рассказала о своих отношениях с Петром Голиковым. Вряд ли это его могло шокировать. Скорее всего, он в бешенстве из-за того, что следователь сначала принял его за Петра. Да, они немного похожи. Но это продолжается всю их жизнь, —

он по серьезному или несерьезному поводу начинает истязать ее молчанием. Как правило, это ситуации, из которых можно выйти, только поговорив. В принципе Лиду не так уж сильно это раньше беспокоило. Она и сама не слишком разговорчивая и далеко не самая искренняя. Именно поэтому ей понятно, что его теперешняя молчанка — просто спектакль. Он просто хочет, чтобы ей было еще хуже. А она на этот раз в полном тупике. И он играет в свои игры! Лидия впервые подумала о том, что прожила много лет с моральным садистом. Она могла бы сейчас найти массу примеров, просто не до того.

— Почему ты со мной не здороваешься? — спросила она.

Он оглянулся, какое-то время смотрел на нее как на странный предмет, неизвестно как здесь оказавшийся, а потом не улыбнулся, а оскалился в улыбке людоеда. Так. Он готов усугублять дальше.

— Почему я не здороваюсь с женой, которая в очередной раз мне сообщила о том, что она шлюха?

— Слова выбирай. — Голос Лидии стал металлическим. — Я тебе не жена, а сожительница, в квартире которой ты столько лет и прожил. И не один год на мои деньги. А потом ты воспользовался моими же знакомствами, чтобы пролезть в бизнес, стать владельцем банка и все такое... Кого ты туда набираешь, что ты там с сотрудницами делаешь — меня просто не касается. Но я на корпоративах всегда точно знала, с кем ты спишь, а с кем — нет. Не только не предъявляла претензий, но из квартиры не выгоняла.

— Так тебя это устраивало! Свобода действий! — Он продолжал выступать, но тон немного упал.

— Чтобы прекратить твои оскорбления, скажу тебе кое-что. Я любила только Виталия Никитина. Потому и родила от него. Любила бы и сейчас... Просто он не любил. Остальные мужчины имели чисто практическое значение в моей жизни. Ты... Пожалуй, ты — исключение. Я ошиблась. Мне показалось, что ты влюблен. А ты просто ошалел от Москвы, от квартиры, денег, знакомств, которые не могли бы тебе, деревенскому неучу, во сне присниться. А теперь — трах-тарарах — кандидат экономических наук. Ты в институте не учился. Почему сразу степень академика не купил?

Она никогда с ним не говорила ни так, ни об этом. Он даже удивился тому, как это оказалось почему-то больно. Такое презрение... Они, два достаточно лживых человека, привыкли уже к своей игре: она — просто домохозяйка, он — банкир, кормилец, сильный мужчина.

— Ах, вот как ты заговорила... Значит, ты любила Никитина, да и сейчас бы с удовольствием. Я так, деревенское быдло, место занять, перепихнуться, когда больше не с кем. А что же ты, такая продвинутая, опытная, не доперла, что успешного, известного бизнесмена, который к тому же жену любит, нельзя ловить, как дешевая проститутка водителя на дороге? Нельзя рожать, если он этого не хочет! Вот твоя дочь и прожила свою жизнь безотцовщины, несмотря на все твои махинации.

234

Да. На ее удар он ответил беспощадно. У нее было много идей, как заставить Виталия Никитина стать настоящим отцом Валерии. Точнее, это все было ее навязчивой идеей. Кончилось так, как кончилось.

— Ты жил с нами с тех пор, когда Лерочка была маленькой. Ты не любил и не любишь меня, потому что приехал на роль альфонса. Но как же, ты к ребенку даже не привязался. Не припомню, чтобы ты ей хоть раз что-то подарил на день рождения.

— Мне не нужны дети в принципе. И никогда не будут нужны. Но я не обижал твою дочь. Все, мне надоела эта лирика. Любовь-морковь. Я ухожу от тебя. За вещами приеду на днях. И я не сейчас это решил. А когда меня потащили в ментовку, потому что твой любовник, который куда-то увез твою дочь и дочь Никитина, показался им похожим на меня. Ты все время что-то крутила-вертела и довертела. Твою дочь убили в одежде дочери Никитина, а ту даже не нашли. Я не хочу оставаться рядом с тобой в тот момент, когда найдут труп дочери твоего любимого человека. Еще в соучастии заподозрят.

— Да, прячься. Тем более Петр просто был с девушками у жениха Элизы. С кем они уехали на самом деле, неизвестно. Вполне возможно, что и с тобой. Ты думаешь, я ничего не замечала? Мне нечего рассказать? Идет расследование убийства моей девочки, в моих интересах ничего не скрывать.

Стивен бросил полотенце на пол. Сжал кулаки, чтобы руки не тряслись. Он был очень бледным. Эта тема — очень опасная. Лидия это понимает и перешла к угрозам.

— И что же ты замечала? Столько лет в одной квартире? Да, когда твоя дочь подросла, она стала иногда прыгать ко мне в постель. Она была озабоченная. Ты в это время могла варить борщ на кухне. Это никогда не случалось по моей инициативе. А с какой стати отказываться? Она думала, так водится у женщин. Она свою мамашу всю жизнь в этой роли наблюдала. Элизу Никитину я видел с Лерой пару раз. Никуда их не возил.

— Точно? Просто сам Никитин тебя сильно волнует. О том, что ты разеваешь пасть на его бизнес, не говорит только ленивый. А по телевизору только что сказали, что его офис сгорел дотла. Поджог. Он дал интервью, что не будет восстанавливать. Интересно, кому достанется такой сладкий кусок в центре? А если еще дочь убита, то он бросит все. Я его знаю.

Глава 18

Артем не помнил, как он оделся, как закрыл дверь, как оказался на улице. Был яркий, совсем весенний день, шли какие-то расслабленные от солнца люди, и только он стоял посреди дорожки и ничего не замечал вокруг. Он как будто вырвался из мрака, из комы и пытался вспомнить то, что было минут пятнадцать назад, понять, зачем он вышел, куда может поехать, какое найти решение. Звонила Настя, он вспомнил разговор. Она велела оставаться дома, он может понадобиться, там какая-то свидетельница... С этим понятно. Элизу похитили, это случилось только вчера.

Евгения Михайлова

Настя сказала, чтобы он ждал информацию. Так куда же он собрался? Значит, была мысль. Просто он ее упустил. Его мозг в ступоре. Да, господи, вот она, мысль. Он просто не мог находиться больше в замкнутом пространстве, поэтому не позвонил из дома. Сергей Кольцов поехал по следу похитителей Насти. Ему, Артему, нужно туда! Он набрал номер.

— Сергей, здравствуйте, это Артем.

— Привет. Я понял. Тебе Настя, что ли, звонила?

— Да.

— Болтун-находка для шпиона. Шутка. Пока ничего у нас нет. И никого.

— Но где вы?

— Надеюсь, мы едем туда, где может быть Элиза.

— А откуда вы знаете, где?

— Наружку оставил я у дома Голикова. Ну, у фотографа, где она провела все это время. Там появился сначала один хмырь на тачке с перебитыми номерами, сразу уехал, потом явился другой, покрутился, в дом даже заходил — наши спрятались — и свалил. Мы едем за ним.

— А где вы сейчас?

— Проехали Черкизовскую.

— Захватите меня. Я возьму такси, я вас догоню. Умоляю.

— Только без этого. Не умоляй. Слушай, это никому не нужно. Ее может там не быть, ее...

— Вообще может уже не быть? Возьмите меня! Вдруг их там много? Я помогу. Я сильный.

— Да знаю...

— Вы про убийство Валерии...

— Настя занимается следственным эксперимен-
том. В присутствии свидетельницы. Ты должен быть
на месте. Дома.

— Я уже не дома. Не могу я там. Сам поеду искать.

— Ну, раз не дома, хватай такси, дуй в сторону
Преображенки, будем на связи, пересечемся. Мы не
торопимся, чтобы не спугнуть. Он еле тащится, что-
то явно барахлит. Нас трое. Лишние руки не помеша-
ют. Если ты с головою будешь справляться.

Вот и цель. Сразу появились силы, четко зарабо-
тал мозг. Артем остановил машину, они поехали в
сторону Преображенки. Он постоянно звонил Сергею. Вышел из такси почти у метро. Машина следователей была на стоянке у большого супермаркета.
Они сами курили чуть в сторонке. Артем преодолел
расстояние до них одним прыжком. Всем молча кивнул, Сергею пожал руку. В его взгляде были такие
требовательные, жгучие вопросы, что Сергей вздохнул и отвел глаза.

— Слушай, Артем, ты меня умолял — я принял во
внимание. Теперь я тебя умоляю. Прекрати на меня
так смотреть, как будто я что-то знаю, но из сооб-
ражений садизма скрываю. Это раз. Веди себя сдер-
жанно в любой ситуации — это два. Оцени свои возможности в поставленном мною ключе очень критич-
но — это три. Больше трех заданий я никому не даю.
Но если не справишься, ты можешь сорвать важную
операцию. Ты — не профессионал, ты уже бывал не
в себе. В этом деле и я допустил ошибку, из-за кото-

рой мы опоздали к фотографу. Сумасшедший дилетант нам не нужен. Я, по сути, совершаю профессиональное преступление: беру на задание неопытного человека. Но ведь, кроме твоих уговоров, которые мне, к сожалению, понятны, есть другие обстоятельства. Не возьмем — сам начнешь метаться. Кроме этого, только ты Элизу живьем и видел. Более того, хорошо знаешь. Она может быть в любом состоянии. Если, конечно, есть там в принципе. Я сам уже запутался в этих переодевающихся сестрах. Это главное. Короче, ты едешь в интересах следствия, все вышесказанное в силе.

— Я все понял, Сергей, — с готовностью и все той же четкостью в уме и чувствах сказал Артем. — Без разрешения пальцем не шевельну и слова не произнесу. Только...

— Скажешь «умоляю», тут же торможу встречное такси и отправляю.

Но произнес это Сергей уже примирительно. Они все пристально смотрели на выход из магазина.

— Вот, — тихо сказал Вася. — Он вышел.

Все остались стоять, но не расслабленно, а готовые к движению. Артем проследил их взгляды, увидел мужичка не совсем понятного возраста, с пакетом, в черных джинсах и черной майке, на которой что-то было написано красными буквами. Мужичок достал телефон, позвонил, направился к их же стоянке, сел в очень старую «Тойоту», номер на которой действительно висел криво и явно был приделан наспех. «Тойота» сначала дернулась, как эпилептик, потом поехала, оставляя плотный запах выхлопных газов. Следователи смотрели, как он вливается в движение, сами стояли. Нормальную скорость эта машина развить не в состоянии.

Минут через пять все быстро сели в свою машину, Артем тоже. Поехали, держали дистанцию метра два-три. Проехали трамвайные пути, потом какой-то долбеж дороги с непонятной целью, выехали практически на пустырь. «Тойота» подъехала к трехэтажному, наполовину развалившемуся дому. Там водитель припарковался. Вошел в подъезд, поднялся на второй этаж, стукнул ногой три раза в обшарпанную дверь. Она открылась. На него уставился явно нетрезвый парень с плоским лицом и красными глазами.

— Никит, — важно сказал водитель. — Вот зачем ты Костю посылаешь? Он же пуганный с рождения. Там никого нет. Может, каких-то работников этот Голиков нанимает. Я даже в дом заходил. А вы тут без меня уже, наверное, девку замучили. Я еще водки привез. И пожрать. Может, наконец отдохнем с ней? Надоела нервотрепка. А потом — к сестричке. Интересно, где встретятся — в раю или в аду. Ее никто не ищет. Фотограф просто куда-то поехал. На съемку, наверное. Я нигде не ковырялся. Он же дверь не закрывает, мужик здоровый, вернулся бы — схватил бы как домушника. Он же не совсем нормальный, раз дверь не закрывает. Оно нам надо — лишние проблемы?

— Все правильно, Валер, — сказал Никита. — И что еще водки принес — тоже. Сейчас будет развлекуха. А то пашем только, как кони.

В этот момент с первого этажа взлетела группа Кольцова и Артем. Они втолкнули водителя в квартиру, вошли за ним, закрыли дверь.

— Дверь хлипкая, — сказал Сергей. — Останьтесь у нее, Вася и Саша. Они наверняка вооружены. А мы с Артемом пройдем в сей гостеприимный уголок. Артем, держись рядом. Причины я назвал.

Никита открыл рот, но произнести ничего с ходу не смог.

— Закрой пока рот, — сказал Сергей. — У нас мат запретили.

Глава 19

Виталий Никитин бросил все дела. Даже не стал решать вопрос с проплаченной арендой на землю под сгоревший офис. Поручил одному помощнику, но сам ни с кем не связывался по рабочим вопросам. Он прекрасно понимал, что так не делают, что он дает кому-то шанс себя обмануть, обокрасть, потому что с помощниками не так решают вопросы, как с владельцем. Именно с ним. С ним разговор бывает только очень серьезный. Не надо бы создавать прецедент, с которого начинается закат бизнеса. Но судьба стала играть по жесточайшим правилам. Речь о жизни Элизы, самого дорогого для него существа. Он ни минуты уже не верит, что кто-то ее ищет. Этот Кольцов показал ему как-то список пропавших девушек и детей. Это же страшное дело. И, в общем-то, повод не работать. А лишь считать на калькуляторе

241

эту сумасшедшую сумму — исчезнувших женщин, девушек, девочек, мальчиков. А он, Виталий, калькулятором так и не стал, как очень многие его партнеры и конкуренты. Хотя дело свое любил, успех тоже... Но было это в другой жизни. Его дочь могла быть дома или в другом месте, но он почему-то был всегда так уверен, что с ней ничего не может случиться. Его все знают, она яркая и заметная, с ней, как правило, кто-то из знакомых... Что теперь мямлит этот идиот Сечкин, Виталий читал. История с записью с его камер какая-то ненормальная. Виталий его, конечно, ни в чем ужасном не подозревал, но это оказалось катастрофой, то, что Элиза с ним связалась.

Виталий вставал утром, пил очень крепкий кофе и начинал объезжать подруг и приятелей Элизы. Вдруг она кому-то звонила? Вдруг кто-то ее видел в этот период?

Он надевал туфли, когда в холл вышла Галина.

— Виталик, доброе утро. Я просто хочу тебе сказать, что на самом деле Лизочку ищут. Я звоню следователю. Что-то есть, просто они меня пока в подробности не посвящают.

— Да? Знаешь, в каком случае родителей посвящают в подробности? Когда эти подробности есть! — Виталий уже давно не удивлялся тому, что Галя читает его мысли. — Это их дело — искать чужую дочь, мое дело — искать мою. Ты знаешь, что я езжу к ее знакомым?

— Мне уже не раз звонили. Дело не в том, что люди в основном от тебя и узнают, что... мы беспокоимся из-за отсутствия Элизы. Дело еще в том, что ты

242

слишком резко, настойчиво, извини, но практически допрашиваешь людей, которые вообще ни при чем. Мне вчера позвонила Катя, Лизочкина приятельница. Она так и сказала: «Ваш муж меня чуть ли не за горло взял». Виталик, пойми, все люди не виноваты в том, что нам сейчас плохо. А того, кто виноват, найти все же могут только профессионалы, которые начали поиск с убийства Валерии. А что касается Лизочки, то вполне возможно, что тут виноватых нет. И она просто приедет оттуда, откуда нельзя позвонить. Африка, к примеру.

— Да? Тебе звонила эта дефективная Катя? Она не могла вспомнить ни одного разговора с Элизой. А ведь они часто общались. Что касается профессионалов, давай не будем. Сечкин им несет такую пургу, какие-то видео бракованные подсовывает, — им все это подходит. Абсолютно не настораживает. Она исчезла из его дома!

— И только. Что, по-твоему, Игорь мог сделать с нашей дочерью? Она уехала с сестрой, они постоянно переодевались, у Элизы полно таких фотографий. Они поехали развлекаться. Игорь — очень нудный. Я знала, что Элиза его бросит. А говорит он вообще коряво.

— Коряво, говоришь... Вот я и поеду к нему, чтобы выпрямить его речь.

— Виталий, почему ты никому не звонишь предварительно? Это людей настораживает, оскорбляет. У них свои дела, свои планы...

— Чтобы они от меня не соскочили якобы по своим делам и планам. Галя, ну что ты завела?! Не может такого быть, чтобы никто ничего не знал! Элиза — не болтушка, но очень откровенная. Дружба Элизы всем льстила, и вдруг никто ничего не помнит. Они не хотят неприятностей. Они чувствуют, что у нас беда. В общем, я поехал. И не кричи мне вслед, чтобы я этому кроту Сечкину не забывал говорить «пожалуйста» через слово.

Глава 20

Сергей одним широким шагом преодолел крошечную, грязную прихожую. Оказался в гостиной с ободранными обоями, в центре деревянный стол, на нем пустая бутылка водки, стаканы, какие-то объедки. С табуретки поднялся парень, сунул руки в карманы.

— Руки! — крикнул Сергей. — Вынул руки из карманов и вывернул их! Быстро. Если есть оружие, лучше сдать сразу. Я стреляю быстрее.

Парень вывернул карманы, на пол упали финка, кастет, грязная тряпка, которая, возможно, была носовым платком. Сергей сказал Артему:

— Открой ту дверь. Открывай осторожно.

Вася втолкнул в комнату Никиту и Валеру.

— Я их обыскал. Документов не нашел, ножи отобрал. Мне тут остаться?

— Лучше возвращайся к двери. Этот, — он кивнул на Валеру, — звонил кому-то от магазина. Могут гости пожаловать.

Вася вышел, Артем вошел в другую комнату... Он даже не смог ничего сказать. На кровати, на каком-то

244

тряпье лежала Элиза! Из разбитой губы текла кровь, под глазом синяк, щека распухла, но она была жива! Какое-то непереносимое счастье. Артем бросился к ней. Ее руки были привязаны веревкой к спинке кровати. Ногти были обломаны, пальцы в крови.

— Что с руками? — спросил, судорожно пытаясь развязать узел.

— Все нормально. Я царапалась.

Он взглянул на ее разорванную кофточку, джинсы, разодранные по молнии.

— Ничего такого, — быстро сказала она. — Вы успели. Но у них есть пистолеты. Ты с кем?

— Со следователями. У них вытряхнули из карманов ножи.

— Что же ты так ковыряешься с этим узлом. Надо было взять нож и разрезать.

— Я сейчас. — Артем зубами развязал узел.

— Иди и предупреди следователей. У них пистолеты на поясе под джинсами. Так не видно. Просто они тут трясли штанами, я рассмотрела. Скажи! Это убийцы!

Артем потянул ее за руки, на одну секунду прижался губами к ее губам... В это время в комнате раздался выстрел. Он бросился туда. Сергей прислонился к стене, прикрыв от боли глаза, левой рукой он зажимал простреленное правое плечо. Никита лежал на полу и держал его на прицеле. Артем сделал практически бессознательный прыжок и прикрыл собой Сергея. Он, падая, боли не чувствовал, только горячую тяжесть в груди. В гостиную влетели Вася и

Саша, курки были взведены. Валерий и Костя заорали почти дуэтом:

— Это не я стрелял!

Наручники на всех троих надели мгновенно. Вася ногой отодвинул в сторону пистолет Никиты. В это время из другой комнаты вышла Элиза, недоуменно посмотрела на Артема, на его белое лицо, мокрый и темный джемпер на груди...

— Он убил его?

Никто ничего не успел ответить. Элиза подняла с пола пистолет и стреляла из него в грудь и голову Никиты, пока ее не оттащили силой Вася и Саша, вырвали оружие.

— Ты что натворила, девка? — ошеломленно спросил Вася.

— Я убила убийцу.

— Зачем?! Они уже в наручниках.

— Зато теперь я уверена в том, что его нет. Может, вы его выпустили бы на улице?!

Она бросилась к Артему, приложила ухо к груди. И вдруг закричала:

— Вызовите «Скорую» срочно! Он дышит!

Глава 21

Настя встретилась с экспертом Александром Васильевичем Масленниковым, верным соратником и другом Сергея, в сквере, где убили Валерию Сикорскую. Она распечатала материалы следствия. Рассказала о том, что видела ее единственная свидетельница защиты Артема Васильева.

Евгения Михайлова

— Она видела не очень высокого, но широкого, как она сказала, человека, Артем ростом под два метра, худой. Но здесь в экспертном заключении сказано, что убийца мог быть и высоким, просто нагнулся для удара, поскольку девушка — маленькая. Это можно проверить во время следственного эксперимента?

— Конечно. Высокий и невысокий в таком случае держали бы палку под разным углом. Но меня еще больше заинтересовали два следа широко расставленных ног. Да, следы Васильева ближе к лежащей девушке, и он тоже явно стоял, то есть понятно, почему группа пошла по его следам. Но для удара характерна именно такая стойка.

— Сережа ошибся? Он мне сегодня говорил, что еще как-то ужасно ошибся. Из-за него вроде они опоздали, и девушку увезли оттуда, где она была.

— Настя, — улыбнулся Александр Васильевич, — ты в этом деле адвокат подозреваемого и, кажется, сразу заняла позицию разоблачения следствия. То есть Сережки. Я тебе сразу скажу: ты всегда считала его гением, можешь смело продолжать считать его таковым и дальше. Ему цены нет, когда он — вольная птица, когда по вдохновению, а не по заданию находит уникальные решения, ловит на ошибках друга Славу, которого сейчас вынужден замещать, и с удовольствием издевается над ним. А в казенном режиме, в протоколе, в коллективе, в потоке бумажной отчетности, когда любому начальству может что-то не понравиться, гением быть намного труднее. Я заметил недавно, как он устал. Дело такое запутанное, все имеют друг к другу какое-то отношение, он говорил, что даже родители убитой девушки друг друга подозревают в заказе. У матери могла произойти страшная накладка в связи с тем, что сестры переоделись. Все люди — скрытные в лучшем случае, в худшем — лживые. Знают, как уходить от прямых показаний. Кстати, группа давно поехала на задание?

— Давно. Если честно, я вся извелась. Какое-то тяжелое сердце. Но я ему никогда не звоню на задание. Он, видно, пока не может.

Они еще немного прошлись по скверу, Настя показала, где свидетельница вроде бы видела еще одного человека. И тут позвонил ее телефон.

— Это Сережа, — радостно сказала она, — я включу громкую связь. — Да, дорогой. Наконец-то. Мы тут с Александром Васильевичем разговариваем в сквере. А что у тебя с голосом?

— Хорошо, что вы вместе. Настенька, новостей много, с какой начинать — хорошей или плохой?

— С хорошей.

— Мы нашли Элизу. Живую.

— Боже! Какое счастье. А что плохое произошло?

— Много чего произошло. И все из-за меня. Меня с этим делом как будто кто-то проклял. У Земцова не могло быть таких накладок.

— И что такое ужасное ты совершил?

— Я взял на квартиру бандитов Артема! Постороннего, неопытного человека, безумно влюбленного... Потому и не устоял перед его мольбами.

— Сережа, не тяни, — вмешался Александр Васильевич. — По голосу чувствую: что-то непоправимое?

— Возможно. Он в реанимации, в тяжелейшем состоянии. Мы вытрясли у этих подонков из карманов ножи и кастеты, а у них под штанами, на голом теле пояс для пистолетов. Короче, Артем без оружия бросился меня прикрывать под дуло...

— Сережа, — тихо спросила Настя, — с тобой тоже что-то случилось?

— Да так. Придурок прострелил мне правое плечо, с полу. Я затормозил с ответом... Ну, у меня пулю достали, перевязали.

— Сережа, вы всех взяли?

— Да. Двух живых и один труп.

— Почему труп? Иначе нельзя было?

— Вы не поверите. Когда Артема ранили, то есть сначала и я думал, что убили, ребята всех скрутили, надели наручники. И тут вышла из другой комнаты истерзанная, нежная девушка, увидела Артема с простреленной грудью, спокойно подняла с пола пистолет и просто изрешетила основного бандита.

— Боже... — еле выговорила Настя. — Где вы?

— В клинике Масленникова, конечно. Всех приняли, мне даже вам, Александр Васильевич, звонить не пришлось.

— Свои люди. Тебя там все знают, как облупленного.

— Сережа, а где Элиза? — спросила Настя.

— Тоже здесь. Говорю же: она избита, истерзана, отбивалась от изнасилования. Но мне пришлось к ее палате охрану ставить. Дело надо заводить. Он был обезврежен. Она его просто расстреляла. И мы, к сожалению, это видели.

— Значит, она отомстила за Артема. И за сестру, — всхлипнула Настя.

— Речь готовишь? — уточнил Сергей. — Готовь. Пригодится. Ладно. Все. Меня накололи чем-то болеутоляющим, я буду спать, и не вздумай, Настя, сейчас приезжать. Дуй домой, к ребенку и Маю. Я позвоню, когда проснусь и есть захочу.

— Все правильно, — сказал Александр Васильевич. — Насте нужно домой, а я подъеду.

— Вам надо, — сказал Сергей. — Артема повезли на операцию. Выходил тут ассистент, говорит, надежды практически нет. У вас есть чуйка. Спас он меня, если совсем честно, от верного конца, я, как последний лох, за плечо схватился от боли под стреляющим пистолетом.

Сергей отключился. Настя безмолвно и горько плакала. Как будто ливень полился по ее красивому лицу, которое не морщилось, не дрожало, не меняло очертание, а просто стало лицом несчастья.

— Поехали, Настенька, я отвезу, — сказал Александр Васильевич. — А сам туда. Ассистенты говорят, что надежды нет по объективным показателям, но главное — особенности организма, воля к жизни. А парень нашел любимую девушку.

— Да, — сказала Настя. — И она за него отомстила. Невероятный поворот.

— И за него, и за себя...

— А почему дело против нее?

— Формально это правильно. Это должно рассматриваться. Преступник был уже обезврежен.

— И теперь два оставшихся в живых все будут валить на покойного...

— Молодец. Да, это может стать большой проблемой.

Глава 22

Виталий Никитин долго звонил в ворота поместья Сечкина. Наконец они разъехались, и Виталий загнал свою машину во двор. Похоже, Игорь смотрел на него во все свои приборы и ждал, что он уедет. Но Виталий узнавал в основном офисе Сечкина: того нет на работе. Значит, не очень хочет встречаться. Кто бы сомневался!

Виталий вышел из автомобиля, поднялся на террасу, потянул массивную входную дверь. Она заперта! С ума сойти. Этот тип действительно больной на всю голову. Виталию нужно было приехать к нему сразу! Когда... Сначала они себя убедили, что все, как обычно, ждали звонка от дочери или ее приезда. Потом посыпалась чудовищная информация, возникли в его жизни Лида Сикорская и их убитая дочь... Он не справился с этим. Он вдруг понял, что за родную кровь нельзя было расплатиться квартирой. И все показалось таким дурным предисловием к основному горю, что... Но выжил. И этого Сечкина знает лучше, чем замотанные следователи, у которых забиты морги трупами, убийц которых они никогда не найдут.

Он нажал медный антикварный звонок и не отнимал руки очень долго, пока дверь не распахнулась.

Сечкин стоял перед ним в бермудах и странных тапках, похожих на войлочные бахилы. А у него же полы из ценного дерева. Виталий посмотрел на эксклюзивный паркет холла и подумал, что это дерево, эта работа надолго переживут Сечкина, у которого ни ребенка, ни котенка. Впрочем, все возможно, конечно, он же хотел жениться на Элизе. Но при том, что он — бледная моль, а Элиза — красавица, у Виталия никогда не было сомнений в том, что жениться на ней он хочет по расчету. Прилепиться к его, Виталия, бизнесу.

— А в чем дело? — спросил Виталий. — Почему не открыл дверь сразу? Я парковался и шел по твоему двору минут десять. И ты в это время меня рассматривал.

— Я был обязан все бросить и мчаться тебя встречать, Виталий? Приличные люди договариваются о встрече заранее и по телефону. Ты, кажется, знаешь: я не люблю незваных гостей.

— Какие гости! Что ты бредишь? Ты прекрасно знаешь, зачем я приехал, и просто так ты от меня не избавишься. Сдвинься как-нибудь и дай мне пройти. Слушай, ты ходишь в такой фигне по дому, чтобы заодно полировать паркет? Я в шоке. Меня еще никогда в такой степени не изумлял выбор Элизы. Никогда не вмешивался в ее личную жизнь, но на этот раз спрошу. Когда она вернется.

— Спроси, — умудрился ответить Игорь, почти не разжимая губ. Он дал возможность Виталию войти и потащился в своих полотерах в сторону гостиной.

252

Евгения Михайлова

Виталий какое-то мгновение стоял, глядя ему вслед. Тон! Этот мстительный тон! Он оскорбился и не удержался. Игорь был уже в гостиной, когда Виталий сзади схватил его за плечо и толкнул в ближайшее кресло. Тот попробовал вырваться, но Виталий просто вжал его, не давая шевельнуться.

— Ты пьяный или свихнулся? — спросил Сечкин. — Ты что делаешь?

— Повтори, что ты сказал.

— Я сказал «спроси». У своей дочери Элизы. Ты чего накинулся?

— Ты видишь, что я не пьян, и знаешь, что не свихнулся. Ты сказал это так, как будто точно знаешь, что я не смогу это спросить у своей дочери. Что я не увижу ее!

— Что за бред? Откуда я знаю, увидишь или не увидишь?!

Виталий отпустил Сечкина и сел на стоящий рядом маленький журнальный столик, тоже, конечно, из ценных пород дерева.

— Понимаешь, Игорь, ты можешь еще долго парить мозги следствию, но я тебя знаю очень много лет. И со мной у тебя это не получится. Это я так, к слову, сказал, что спрошу у Элизы. На самом деле я ее неплохо знаю. Она — экспериментатор, коллекционер не в сексуальном смысле, а в человеческом. После периода тяжелых отношений с другим мужчиной она могла просто захотеть отдохнуть, расслабиться, развлечься рядом с таким опарышем, как ты.

— Виталий, если ты будешь меня оскорблять...

— То что? Полицию вызовешь? Давай. Я буду тебя оскорблять, и не только. И я не уйду отсюда, пока не узнаю, где Элиза.

— Госсспди! С тобой, наверное, даже следователь не может говорить. Так ты себя безумно ведешь. Я знаю, как и все, про твою попытку суицида. Теперь думаю, что ты и офис свой сам поджег. И не только я так считаю. Если ты меня хоть пальцем тронешь, Виталий... Ладно, не буду. Просто прошу: остановись. Успокойся. Я передал следствию видеоматериалы о том, как Элиза с Валерией и каким-то мужиком уходили от меня. Они даже уже узнали, что этот мужик — фотограф, мой сосед. Какие у тебя могут быть ко мне вопросы? Это все где-то уже в документах. Просто с тобой не общаются, как с неадекватом.

— Меня не интересует ничего из того, что ты говорил следствию. Разумеется, это все ложь. А как фамилия фотографа?

— Не ручаюсь, но, мне кажется, Голиков. Я и не знал, что это мой сосед.

— Петр?

— Не помню точно, но вроде.

— Ты сама невинность, Игорек! Жалко, не видишь себя со стороны. Но хотя бы слышишь? Петр Голиков — фотограф и, скорее всего, любовник Сикорской, матери убитой Валерии, моей внебрачной дочери. Он постоянно фотографировал Элизу. И ты его не знаешь??? Он оказался твоим соседом. Это все может быть случайностью? Он бывал у тебя дома, это ты сказал, что он увел обеих девушек отсюда. Но одну нашли убитой, а другая — Элиза — может быть, убита здесь. Я не знаю, как ведется следствие, я не знаю, как получить признания у человека, которому не веришь ни на грош и который на все способен, но мне сейчас показалось, что терять мне больше нечего. Я просто прикончу тебя, если ты не скажешь, что произошло с Элизой. В том, что произошло, сомнений нет.

Виталий медленно встал со столика и сделал шаг к Сечкину. Тот вдруг то ли кашлянул, то ли тоненько взвизгнул.

— Не трогай меня! — треснувшим голосом прошипел он. — Ну, знал я его. Так. Шапочное знакомство. Когда он уводил девок... прости, девушек, я же не знал, что он — маньяк.

— То есть?

— Узнал сегодня, что его арестовали. Думаю, из-за Элизы. Это все, Виталий, поверь. Ты можешь спросить у следователей. Они к нему, кстати, от меня поехали. Я опять им все подробно рассказал.

— Что значит — маньяк? За что арестовали? Они нашли там убитую Элизу?

— Понятия не имею.

Виталий подошел к креслу и сжал Сечкину горло.

— Будет хуже, пока не появится понятие.

Тот замотал головой, лицо его багровело, и он показал пальцем на рот. Хочет что-то сказать. Виталий ослабил хватку.

— Я знаю его и знаю Лидию Сикорскую. Она позвонила мне и сказала, что у него запой. И что ей кажется, что у него находится все это время Элиза.

— Почему ей так казалось? — медленно спросил Виталий.

— Не знаю. Может, потому, что должны были убить твою дочь, Виталий? А убили ее. То есть вашу. Они же переоделись.

— Как он мог держать у себя Элизу, быть в запое и убить Валерию?

— А кто сказал, что он убил Валерию? Говорю же: его арестовали вчера. Значит, нашли Элизу.

— Ты хочешь сказать, что он ее убил? Но он никакой не маньяк. И не убийца. Я его знаю с юности. Пьет много, но...

— Я хочу тебе все время сказать только одно. Я ни при чем. И все тебе говорю, даже то, что не говорю следствию. Голиков, конечно, не убийца, и Валерию он никак не мог убить. Но он их повез к себе, оставил только Элизу, раз она после этого нигде не нашлась. Он пил! А Элиза, знаешь ли, — тяжелый человек. Она ничего не готова терпеть. Мог быть несчастный случай. Это просто мое предположение, и я ни с кем, кроме тебя, им не делился. Просто его повязали и увезли.

Бледный Виталий набрал телефон жены.

— Галя! Элизу нашли?

— Да, — прорыдала жена. — У тебя заблокирован телефон, не могу дозвониться.

— Как... — У Виталия сорвался голос. — Как он это сделал? Когда? Ты ее видела?

— Не понимаю. Кто и что сделал?

— Как Голиков убил Элизу?

Евгения Михайлова

— Ты с ума сошел! Лизочка жива! Ее похитили какие-то бандиты. Она в больнице, но ничего серьезного, синяки, царапины.

— Синяки, царапины? Боже, какое счастье! Почему ты так ревешь?

— Виталик, она почему-то убила одного из бандитов. Вроде бы это большая для нас проблема. Это была не самозащита.

Виталий сорвался с места и бросился к машине. Он уже проехал поселок, а Игорь все еще сидел в кресле с застывшим взглядом. Он понял из разговора, что Элиза жива и что-то странное случилось. А все странное — это неприятности.

Глава 23

Стивен приехал в свою квартиру, давно купленную, любовно отделанную, по своему вкусу обставленную. Закрылся изнутри на все сверхнадежные замки и вздохнул с глубоким облегчением. Он не просто знал, что наступит этот день, когда он приедет К СЕБЕ. Он ждал этого довольно много лет. Ждал настоящую причину. И вот она есть. Стивена устраивала жизнь с Лидией. Она ему нравилась внешне. У них никогда не было любви, но был вполне качественный секс. И, самое главное, он не забыл, что благодаря ей, ее деньгам и связям он пришел к своему успеху. В том-то и дело, что не забыл. А пора бы забыть. Он хочет начать жизнь без Лиды Сикорской, которая когда-то по сексуальной несдержанности

257

пригрела и вывела в люди бедного мигранта Галушку. Он хочет пожить один или не один, как решит, но рядом не будет человека, который в любой момент скажет: «Да кем ты был до меня...» Он бы не ушел от нее без причины. Но причин вдруг образовалось воз и маленькая тележка. После убийства Валерии Лидия стала практически невыносимой: он утратил над ней контроль, не знал, что она может выкинуть в следующую минуту. И это не главное. Это можно понять, переждать.

Но она сама преподнесла на блюде и более веские причины. У нее все годы был любовник. И это не деревенский «понаехавший». Это московский фотохудожник, которого она держала на всякий случай, встречаясь с настоящими богачами без любви, но за деньги. Этот Голиков не пошел бы на роль ширмы. У него своя насыщенная жизнь, модели наверняка косяком. Стивен его видел несколько раз, когда он привозил Валерию. Они, кстати, похожи внешне. Может, именно поэтому Лидия и выбрала бывшего Степана Галушку? Ей нравятся крепкие, грубоватые с виду мужики. А ведь Никитин — не совсем такой. Он приветливый, улыбчивый, кажется мягким. Светлые волосы, серые глаза... И она его всю жизнь любит, того, который так жестоко ее бросил с ребенком. Да, расплатился, а она взяла. Она сама во всем призналась!

Но даже не поэтому сегодня Стивен решил бросить Лидию. С «причинами» она ему просто помогла по глупости. История с этим расследованием сильно затянулась. Вроде сразу убийцу нашли, потом опять пошла тягомотина. Стивен решил, что пора сваливать, когда его заставили якобы самого себя опознавать на той халтуре, которую следствию подсунул Игорек. Стивен был там не раз с Валерией. Знал, что Сечкин на все способен, но не до такой степени! Тогда, правда, Лида выручила, сказала, что это Голиков. Может, и Голиков, может, это она любовнику за что-то мстила. Он слишком к Элизе прилипал, судя по количеству фото, которые показывала Валерия. Но пошли вопросы, которые Стивену совсем не нравились: спал — не спал с падчерицей. Если начинать все копать в их жизни, мало ли что найдется. Посему — хватит. Нет больше у Сикорской гражданского мужа. И лучше всего уехать за границу — в командировку или в отпуск.

Стивен прошел в свою роскошную ванную, разделся, внимательно рассмотрел себя в зеркале. Он в хорошей форме. Ни пивного живота, ни второго подбородка — бед успешных мужчин. Провел рукой по волосам — густым и волнистым — и вспомнил, как однажды сказал Валерии, что хочет закрасить эту седую прядь. А она, с этой своей восторженностью или, вернее, озабоченностью, стала умолять — не делать этого. Ее возбуждали мужчины намного старше.

Так. Валерия не просто в прошлом, она, как говорится, в царстве теней, из его жизни просто исчезла. Надо попробовать закрасить эту седую прядь. Он лег в очень горячую ванну, включил гидромассаж. Хорошо бы, сегодня никто не позвонил. Еду он купил, на работу звякнул: имеет право человек на выходной, когда ему хочется, когда жизнь его меняется... И тут же понял, какую ошибку совершил: никогда нельзя думать о том, чтобы никто не позвонил. Потому что тут же звонят. Стивен взял телефон. Это Лидия. Ну, так быстро он просто не ожидал. Надо, конечно, не отвечать. Но телефон звонил и звонил, пока Стивену не стало понятно: это не просто так. Что-то случилось. Он должен быть в теме.

— Ну... — ответил он.

И Лида затрещала. Оказывается, взяли Голикова, взяли похитителей Элизы, у них нашли ее, она жива и даже кого-то убила. И к Сечкину приезжали... У них там что, перевыполнение плана? Они сейчас похватают всех людей, фамилии которых в материалах дела, и начнут что-то лепить грандиозное.

— Я еду в аэропорт, — сказал Стивен Лидии. — Надо срочно по делам. То, что ты рассказываешь, очень интересно, но мне не до этого. Ты, кажется, не поняла: меня больше нет с тобой. Забудь.

— Я поняла, — сказала Лидия. — Просто я сначала в банк позвонила, мне сказали, ты сегодня отдыхаешь. Сегодня! По каким делам? Ну, нет так нет. Я просто с тобой поделилась. Думала, тебе интересно. Убили не просто мою дочь, но и близкого тебе во всех отношениях человека. Интересно, что расскажет Элиза? Лерочка была с ней очень откровенна. И Сечкин какой-то сегодня разговорчивый. Виталий, говорит, у него был. Он ему рассказал, что хорошо нас знает... Не знаю, что еще рассказал...

Евгения Михайлова

Глава 24

Ирина и Николай сидели у стеклянной двери и держались за руки. За дверью — операционная, реанимация, туда нельзя. Ирина, пытаясь на минуту отвлечься от мыслей, что там происходит, сильнее сжала руку Коли, на что он ответил тем же. Она подумала, что они очень мало говорят друг с другом. Всегда. У них одинаковый, спокойный темперамент и абсолютная взаимная уверенность в том, что объяснять друг другу ничего не нужно. Достаточно озвучить главную информацию, и она станет тем условием задачи, от которого они молча, по времени синхронно придут к одному результату. Дело не в том, что они ученые, вдруг подумала Ирина. Дело в том, что это и есть такая любовь, когда два человека — по сути, одно целое. И Артем мог бы создать такую семью, если бы не эта сумасшедшая страсть к девушке, совершенно не такой, как он. Она из другой «песочницы», она слишком темпераментна, активна, авторитарна... И она ведь его не любила. Она никого не любила, а просто выбирала. И, господи боже мой, она убила человека, чтобы отомстить за Артема. Как ее понять, эту Элизу?! Ее нашли! Бандитов схватили! Ее кошмар закончился. Но у ее палаты дежурит полицейский. Потому что она — убийца. Она была там в плену. Они ее пытались изнасиловать, эти мерзавцы, могли убить. Но она расстреляла на глазах полицейских именно того, который выстрелил в Артема. Сама приговорила, сама привела в исполнение. Бед-

261

ные Галина и Виталий! Бедные мы все! Даже следователь ранен.

Николай встал, просто кивнул ей, что всегда значило: ему нужно покурить.

Конечно, они одно целое, но когда он закрыл за собой дверь комнаты, где они сидели, Ирина позволила себе горький страстный вздох, который так долго сдерживала при муже. И он, наверное, сдерживает, они оба пытаются щадить друг друга. Она быстро достала носовой платок, прижала к мгновенно промокшим глазам. Настя ведь велела Артему сидеть дома. Но как он мог? Он за Элизой всегда был готов пойти на край света, а тут она в плену у бандитов... Как же Сергей Кольцов мог его взять с собой? Артем умеет так сказать, особенно когда речь об Элизе, что, видно, и у следователя сердце дрогнуло. Или на самом деле людей не хватало? Артем спас Сергея вроде бы от верной гибели. А это не Элиза, это человек, который возбудил дело, по которому Артем — подозреваемый в убийстве. Человек, который способен убить, не отдаст жизнь за другого, практически чужого человека. Нет... Только не надо сходить с ума. Тема не отдавал жизнь, его сейчас спасают. Настя сказала, что лучше клиники, чем эта, которую открыл эксперт Масленников, не существует в России. И он друг Сергея. Настя тоже плачет, наверное, дома, Сергей сказал, чтобы она пока не приезжала сюда.

Дверь с лестницы открылась, но вошел не Коля, а странная женщина в синем фланелевом халате, продолговатое лицо раздуто, как от ботокса, на голове редкий ежик каких-то бесцветных волос. Она подошла к Ирине и сказала низким голосом:

— Покурить есть?

— Здесь нельзя, — объяснила Ирина. — Здесь операционная и реанимация.

— Ты мне будешь объяснять? — язвительно сказала женщина. — Я лежу в этой больничке. И давно. И вроде не спрашивала, что здесь находится. Покурить есть?

— Я не курю, — ответила Ирина, решив не упоминать о муже с сигаретами. Эта мадам его найдет. Коля впадает в ступор, когда к нему пристают люди с отклонениями от нормы. Это тот случай. Пусть она поскорее уйдет. Но не тут-то было. Женщина искала не только сигареты, но и общения.

— А че ты ревешь?

— Сына оперируют.

— В чем дело?

— Бандит в него выстрелил, — с трудом произнесла Ирина, проклиная свою честность.

— Ты скажи по-человечески. В какое место. Бандит — не бандит, но если в задницу, то ничего твоему сыну не будет. Вытащат и зашьют.

— В грудь.

— Да ты что! Тогда готовься. Они тут только с задницей справиться могут. А в грудь... Ну, что я могу сказать: живут и без сыновей. Я, например. Не было, и не надо.

— Вы не могли бы уйти, — дрожащим голосом попросила Ирина.

— Да ты кто такая! — завопила тетка. — С ней по-хорошему, а она будет командовать, уйти мне или нет. Так нет! Сяду рядом, дождусь, когда тебе скажут то, что я сказала.

Она уже собиралась устроиться рядом с Ириной, но в комнату вошла полная медсестра и крепко схватила ее за локоть.

— Калинина, на выход. К себе. К тебе полицейского пожалели приставить, так я за него. Я тебя нашла по запаху той мазючки-вонючки, с помощью которой ты себе длинные косы собираешься отрастить.

— Марина, ты как со мной разговариваешь! — еще громче завопила мадам. — Я сейчас на тебя жалобы напишу... Всем напишу.

— Давай. Бумагу и ручку принесу, будет чем заняться, потому что палату закрою на ключ. А разговариваю так, как ты заслуживаешь. Я все слышала, что ты женщине сказала. Какая же ты...

— Все. Поняла. Ухожу. На ключ не надо.

Явление испарилось. Медсестра сказала Ирине:

— Не обращайте внимания. Это просто дрянь. И преступница. Она у нас на экспертизе.

— Да я... У этой женщины, наверное, какое-то заболевание... Что-то с волосами, лицом.

— Если вы подумали, что у нее это от химии, то ошиблись, как все. Она на этом спекулирует. Она соседке голову разбила о батарею. Ворвалась в квартиру, набросилась из-за чего-то. Соседка сейчас не ходит, задет двигательный центр мозга. Эта Калинина на следствии сказала, что у нее рак, химия, облучение, она только документы потеряла. Была на экспертизе. Чистая симулянтка. Волосы не растут, потому что не хотят на такой голове. А лицо — ботокс, конечно. Когда ее взяли, она была вся в бриллиантах, как елка. Так и к нам приехала. Теперь мы их храним в сейфе. Она подозревается еще в черном риелторстве вроде.

— Я не могу понять. — Губы Ирины дрожали. — Она меня первый раз видит. Зачем это было говорить?

— Люди — очень часто дрянь, — философски ответила медсестра. — Вот поэтому и сказала. У нас, кстати, очень хорошие хирурги. Оперирует вашего сына Сам. Все, конечно, бывает, но вы должны сыну помогать, думать о хорошем. Я побежала. Мне за этой Калининой следить надо. А вот и доктор к вам...

— Что?! — спросил у Масленникова Николай, появившийся на пороге.

Ирина вцепилась руками в стул. Она боялась потерять сознание. Лицо Масленникова было серым.

Глава 25

Насте снилась боль. Она пыталась открыть глаза, вздохнуть, но не могла. Она уснула под утро. Но если она понимает, что нужно встать, выпить воды, найти валидол, — значит она не полностью спит. Мозг уже проснулся, почему же она не может открыть глаза?

«Я боюсь», — поняла в полусне Настя и тут же широко открыла глаза. Боль не проходила. Она не приснилась. Настя попробовала сделать глубокий вздох... Что это? Никогда такого не было. Болит вся грудь, отдает в правое плечо. «Так бывает при инфаркте», — вспомнила Настя, как кому-то объясняла мама.

Нет, такую роскошь, как болезнь, Настя себе позволить не может. Сережа в больнице, клиент — неизвестно, жив ли. Ребенок и собака не завтракали, не гуляли. Настя с вечера решила оставить дома Олежку. Если Сережа позвонит, чтобы она к нему приехала, она поедет с сыном. Мало того, что мужа ранили, он первый раз за все время, что она его помнит, утратил свою уверенность, винит себя во всех бедах. В такой момент семья должна быть рядом. Она бы и Мая взяла, но у нас, в отличие от многих других стран, собак в больницу не пускают. И это плохо. Никто так не снимает депрессию и боль, как собака. Так о чем же она думает? Почему не зовет к себе Мая? И почему он не почувствовал, что ей плохо, и не пришел сам?

— Май, иди сюда, — позвала Настя сладко посапывающего на своем лежачке рядом с кроватью белого, пушистого ретривера.

Он открыл глаза, посмотрел на нее и опять засопел. «Какой-то он не особо чувствительный в смысле врачевания», — подумала Настя и встала.

Она выпила на кухне воды, нашла в аптечке валидол, немного подержала во рту и выплюнула: противный. Дышать было легче, сердце билось нормально, ровно... Просто ей не приснилась, а передалась Сережина боль. И надо быстро все сделать, покормить детят-зверят, отправить их гулять и позвонить. Только так она и узнает, переняла ли Сережкину боль, облегчила этим или, наоборот, там все плохо.

За делами и заботами боль совсем прошла. Но нарастала какая-то напряженность. Отправив гулять Олежку с Маем, Настя не стала звонить Александру Васильевичу. Он после такой операции. И она наверняка вчера была не одна. Мало кто знает, что у него самого серьезная проблема с легкими. Тот случай, когда «врачу, исцелися сам»... Но у него нет в жизни просветов. Он постоянно всем нужен. Не до своих проблем. Сереже она тоже звонить не стала, он, наверное, спит. Позвонила в справочное отделение. Ей сказали: «Кольцов — удовлетворительно, Васильев — состояние тяжелое, по Никитиной справок не даем».

Ох, Элиза. Надо же было создать такую проблему! У Никитиных, конечно, есть свои адвокаты. Но если бы они захотели, Настя защищала бы Элизу бесплатно. Она мстила за Артема, который спас жизнь Сергея. Вот такой «дом, который построил Джек».

Настя вошла в кабинет, включила компьютер, вывела вместе всех фигурантов дела по убийству Валерии Сикорской. В хорошем качестве фотографий Петр Голиков и Стивен Боровицкий не так уж и похожи. Но это однозначно мужчины одного плана. Значит, такие мужчины во вкусе Лидии Сикорской. Насте этот тип противопоказан: напор, грубоватость, такая прямолинейная работа под простецкого мужика, какими оба давно не являлись. Женщинам это часто нравится. Странно, что Виталий Никитин, который слишком любит женщин, из-за чего, собственно, и началась эта страшная история, выглядит совершенно иначе. Просто контактный, приятный, позитивный человек. Был, наверное, таким. Сейчас он в центре беды. Случайно? По Сережиным данным, он самый влиятельный и состоятельный бизнесмен из них всех. Даже Сечкин далеко позади. Интересно, Лидия любила Виталия или просто ловила богатого? И любит ли она кого-то из этих трех мужчин? С какой все же целью она отслеживала жизнь Виталия, который даже не знал, что она живет в Москве, познакомила Элизу с Валерией? Почему Валерия оказалась в этом сквере так рано утром, в одежде Элизы?

Настя увеличила фото Лидии. Та смотрела на нее довольно красивыми, темными, без блеска глазами. Этот взгляд не прочитаешь. В нем может быть страсть, а может быть ненависть, стремление к какой-то цели или просто алчность. Мрак, ночь, тайна. Настя набрала ее номер.

— Это Лидия Сикорская? Доброе утро. С вами говорит Анастасия Кольцова, адвокат Артема Васильева.

— А в чем дело? — хрипло сказала Лидия.

— Мы не могли бы встретиться?

— Я никуда не потащусь сегодня. Голова болит.

— А к вам приехать нельзя?

— Что за спешка... Адвокат Васильева? Так он жив?

— Да. Так можно приехать примерно через час?

— Ко мне теперь всем можно. Дочь убили, муж бросил, любовник арестован. Свободная женщина!

Евгения Михайлова

Насте показалось, что Лидия не очень трезва, но, может, это и к лучшему. Человек явно сложный. Странно, но о том, что ее бросил муж, по крайней мере, позавчера следствию не было известно.

— Я хотела бы выразить вам соболезнования по поводу гибели дочери...

— Только без этого! Приехать можешь, но в душу нечего лезть.

Глава 26

Вернулись с прогулки Олежка и Май. Настя их покормила, очертила сыну примерный план занятий и развлечений, понимая, что выполняться будет лишь второе. Но она уже приспособилась в каждое развлечение ребенка «закладывать крючок», как называл это Сергей. Это то, что само по себе заставит ребенка думать, искать разгадку, короче, умнеть.

Было уже около полудня, когда она вышла из дома. Сережа все еще не звонил. В принципе, если ему укололи обезболивающее, да еще дали снотворное, он может проспать до вечера. И это ему полезно. Настя решила не звонить. Но когда села в машину, решила позвонить на этот раз не в справочную, а в ординаторскую. Это рядом с палатой Сережи. Может, ей что-то скажут, а она передаст, что поехала по делам, но ждет его звонка. Трубку взяла операционная сестра Ксения, она Настю хорошо знает:

— Привет, Настя. Сейчас схожу, посмотрю. С вечера сказал, чтобы его не будили, сам позвонит. Дрыхнет, наверное. Завтрак ему не носили, я тут сижу с открытой дверью, работаю, мне видно его палату.

— Извини, Ксюша, — сказала Настя, — я просто сейчас из дома уехала, хотела ему передать.

— Да какие извинения? Будить его надо. Не такая операция, как у Васильева, но операция. Мне нужно посмотреть все, температуру измерить, лекарства дать, перевязку сделать... Сейчас, подожди.

Когда Ксения взяла опять трубку, она задыхалась от гнева:

— Настя! Он сбежал. Как в тот раз, когда ногу ему прострелили. Ну, наглость какая, честное слово! Неужели нельзя было сказать? Мне документы по его операции нужно заполнить. Мы его что, в наручниках тут держали? Теперь ты меня извини, но у твоего мужа характер хулигана.

— Извиняю. Ксюша, вопрос, конечно, дурацкий, но он давно сбежал? Как ты думаешь?

— Не меньше трех часов назад. Потому что нянечка утренние таблетки положила на тумбочку в девять. И стакан воды. Все на месте.

— Он мог не заметить.

— Ты прекрасно знаешь, что он все замечает. Допустим, таблетки не захотел, но пить он должен был хотеть. Ему кололи лекарства, которые вызывают жажду.

— Да... Значит, он хотел, чтобы все думали, что он в больнице, а он кому-то сюрприз поехал делать. О том, что случилось вчера, уже некоторые знают... Ну, что делать. Такая профессия. Или характер. Это не лечится. Ксюша, что с Артемом?

Евгения Михайлова

— Плохо пока. Парень подставился по полной. Пуля в сердце!

— То есть как? Как же он выжил?

— Бывает. Один вьетнамец прожил с пулей в сердце тридцать девять лет, мучился от боли, а достать ее было невозможно. Умер бы, пока доставали. Но все-таки нашли хирурга. И вытащили. Александр Васильевич вчера просто что-то невозможное сделал, когда надежды не было. Потом я видела, как он вышел из операционной и пошатнулся. За стенку держался. Первый раз такое видела. В общем, теперь организм молодой должен очень сильно поработать, чтобы выкарабкаться этому Артему.

— А Элиза?

— Ну, что Элиза?! Девушка амбициозная, старается держаться, но в жутком стрессе. Просилась к Артему, хотела навестить.

— Да???

— А что тут удивительного? Она из-за него человека грохнула. Ну, не совсем человека... Но ее отсюда твой муж в тюрьму, наверное, отправит, раз она под стражей. Себе бы стражу поставил!

— Как-то ты совсем к Сереже плохо относишься. Ну, не Сережа виноват, что она не защищалась, а уже в беззащитного человека стреляла. Но с этим можно работать. Я спросила, как ее здоровье?

— Избита, истерзана, сопротивлялась насилию. Ногти сломала под корень... Будем держать, пока не вылечим. Такую не отдадим.

— Ну, да. Это правильно. Артем обязательно должен увидеть ее. Это ему поможет.

— Голос у тебя какой-то... Ты расстроилась из-за того, что у тебя муж такой?

— Немножко. Но я в курсе. Позвонит, когда сможет. Я не буду, раз он даже от меня скрыл. Значит, никто не должен был знать.

— А я бы нашла и убила своего за такой фокус.

— Поэтому у твоего мужа таких фокусов быть не может, да?

— Поэтому я не замужем, Настя.

— Это решение потенциальных проблем, — рассмеялась Настя. — Ксюша, можно я буду звонить? Вдруг он вернется? Я это допускаю.

— Звони и допускай. А я думаю, что вернется только в том случае, если ему еще что-то прострелят.

— Ой, ты что!

— Ладно. Значит, не вернется. То есть — домой приедет. А до этого — звони, конечно.

Настя поехала дальше. Ее лицо оставалось спокойным, а глаза из бархатно-карих стали совсем темными и трагическими. Если бы Сережа знал, что такое для женщины — терять из виду своего мужчину... Но как он может это знать. Он не женщина. А она ему не расскажет. О том, что любые разлуки, самые естественные и короткие, переживает как болезнь и беду. А эти исчезновения, побеги на дело... Позвонить? Нет, конечно. Он сказал ей, что будет долго спать, а сам с вечера, конечно, что-то придумал. И она не должна была об этом знать. Потом узнает, почему.

Она припарковалась во дворе красивого дома, позвонила Лидии, та назвала подъезд и открыла его дверь. Квартира была на втором этаже, всего одна. Лидия стояла на пороге в черном кимоно. Настя вошла в просторный холл и сразу увидела за спиной Лидии огромный красивый фотопортрет. Женщина — греческая богиня, чем-то похожая на Лидию, поражала необычной красотой и скрывала свои тайны.

— Какой чудесный портрет. Это вы? — Настя посмотрела на опухшее, желтоватое лицо Сикорской, мешки под глазами, в которых утонули небольшие темные глаза.

— Что смотришь: поплохела, думаешь, тетка? Бывает. И у таких красоток, как ты, не всегда хорошие дни.

— У меня не очень хороший, — сказала Настя. — Можно куда-то пройти, поговорить?

— А чем тебе здесь плохо? — Сикорская показала Насте на кресло. Сама взяла с тумбы стакан с остатками виски, сделала последний глоток и налила еще из графина. — Тебе не предлагаю. Ты за рулем и при исполнении.

Настя кивнула, глядя на нее задумчиво. Она нетрезвая гораздо в большей степени, чем это казалось по телефону. Пила, видимо, все время, пока Настя ехала.

— Лидия, — сказала она, — вы спросили у меня, жив ли Васильев? Откуда вам известно, что он ранен?

— А что, такой секрет? Да звоню я каждый день в контору твоего мужа. Спрашиваю, что они сделали, сидит ли уже хоть кто-то за убийство моей дочери. Мне и рассказывают последнюю информацию. Они обязаны. Я — пострадавшая. — Последнее слово она произнесла заплетающимся языком.

— Вы кому-то сообщили эту информацию?

— Сообщила, конечно. Мужу своему, который от меня ушел. Чтобы не сильно легко жил. Убили не просто мою дочку, которая для другого человека стала бы только падчерицей, для Стива стала любовницей. Он хочет все забыть, от неприятностей соскочить, а я не дам. Игорьку Сечкину звякнула, что его королевишна жива и кого-то прикончила. Он тоже хочет жить без проблем с самим собою.

— О каких неприятностях речь?

— Пусть их на суде поспрашивают. Они сильно репутациями меряются. Вот один девчонку, мою дочь, в постель затащил. Другой на убийце жениться собирался, а потом вообще неизвестно, что случилось.

— Лидия, — встала вдруг резко Настя. — Ваш муж на работе или дома?

— Дома был. А сказал, что едет в аэропорт, чтобы я отвязалась. Но я на работу звонила. Взял свободный день.

— Скажите, пожалуйста, его адрес.

— С какой стати... А вообще — пиши. Если я произношу слово «неприятности», они должны сразу начинаться. Я — греческая богиня, как видишь на этом портрете. Скорее всего, он уже действительно едет в аэропорт. Ему это все не надо. Мало ли что Элиза может рассказать?

— Куда он может улететь?

— Куда угодно, но проще всего на свою виллу под Миланом. У него итальянское гражданство.

Евгения Михайлова

Глава 27

Настя пообщалась с Олежкой, сказала, что была у папы, он хорошо себя чувствует и передает привет. А теперь она едет по своей работе. Проинструктировала, что нужно взять из холодильника, разогреть и пообедать. Еда Мая стоит, уже приготовленная, на полке у окна.

— Удивляюсь, — скептически сказал Олежек. — Папа хорошо себя чувствует, а к нам не едет. Ты опять куда-то едешь. Получается, что самая тяжелая домашняя работа лежит на мне, ребенке, и Мае, собаке.

— Ужас, — сказала Настя, прикусив губу, чтобы не расхохотаться. — Ты же маленький демагог-манипулятор. Я упросила учительницу, чтобы тебе можно было день побыть дома. И я же виновата. Разогреть обед — это три минуты. А в морозилке мороженое, не хотела, конечно, говорить, но раз речь о правах ребенка и собаки...

— Да? — оживленно спросил Олежка. — Ты правильно сделала, что сказала.

— Только начинать обед нужно не с мороженого!

— Конечно, — слишком мило и примирительно сказал сын.

Настя какое-то время ехала и улыбалась. Кто бы сомневался, что сын пойдет в Сережу?! Сильная генетика. Настя со своей даже не надеялась вклиниться. Но в сыщики Олежка не пойдет. Только через ее труп. Тьфу-тьфу-тьфу. Она набрала телефон Васи.

— Привет, Вася. Как у вас там дела?

— Здравствуй, Настя. Да так. Не сильно продвинулись. Фигуранты на контакт не идут. Как и ожидалось. «Мы ничего не знаем, все знал Никита. Зачем-то и притащили эту девку от Голикова. А она его убила». Ловить на чем-то надо. Надеемся на показания Элизы. Врачи пока не разрешают поговорить: стресс, говорят. Ждем Сергея.

— Ты знаешь, что он сбежал из больницы?

— Не может быть! Опять? Это прямо болезнь какая-то — сбегать из больницы.

— Вася, ты не знал или ты мне врешь по его просьбе?

— Я не знал. Клянусь... Чем?

— Ничем. Я верю. Просто если он что-то задумал, вы можете ему понадобиться. Вы уж не разбегайтесь.

— Вообще-то спасибо, что предупредила. Мы хотели расслабиться. Теперь точно будем на стреме. Земцов таких цирков не устраивал.

— Ну, да. А ты мне не поможешь? Я выбираюсь из центра. Хотела заехать к Стивену Боровицкому, гражданскому мужу Сикорской. В общем, он ее бросил, и есть у нее подозрение, что он может куда-то улететь. Чтобы его не дергали больше по делу. Мне хотелось бы задать ему вопрос. Пока даже не знаю, какой. Не звоню, потому что точно сбежит, раз ему все это надоело, как и жена. Но ты не мог бы узнать, не брал ли он билет на какой-то рейс? Возможно, в Милан.

— Нет проблем. Вот люди, да? Им плевать, кто убивает их родственников. Лишь бы самим не светиться.

— Согласна. Ты позвонишь мне?

— Конечно. И быстро.

Настя проехала вперед, до автозаправки. Надо заправиться на всякий случай, если придется в аэропорт ехать. Зачем он ей понадобился, этот Боровицкий? Она не знала. Просто в квартире Сикорской все было не так. То есть это красивая, комфортабельная квартира, но каждое слово, интонация нетрезвой Лидии говорили о клубке сложных, натянутых отношений. В холле демонстративно висит ее портрет, сделанный наверняка Петром Голиковым, ее любовником. У него столько времени пробыла Элиза, а поскольку в результате она оказалась в плену у бандитов, значит, она там была не добровольно. Но Сечкин утверждает, что ушли девушки от него с Голиковым вместе. Как было на самом деле? Валерию убили через несколько часов в сквере у дома Васильева и, кстати, Голикова. Получается, Валерия уехала с кем-то или к кому-то другому. Сикорская в ярости хочет озвучить то, что Валерия и Стивен были близки. Пока он жил с Лидией, ее это не особенно тревожило. Честно говоря, не исключено, что Валерия была и любовницей Голикова. И пока никак не доказан факт, что Голиков был в своем доме с Элизой. Элиза потом все это прояснит. Но вполне возможно, что он ее оставил с этими людьми, а сам поехал отвозить Валерию. Стивен с Лидией в это время были в Альпах, Стивен в принципе не хочет, чтобы его вмешивали в это дело. И лучше, конечно, не раздражать его без конкретной цели. Но... Он не мог не думать, он даже не мог не знать, что связывало Валерию и Голикова.

Любил — не любил, не в этом дело. Он мог даже не ревновать. Но что-то знает. Это не просто девушка, с которой он иногда спал. Это девушка, с которой он жил в одной квартире, которая росла на его глазах. Настя практически не сомневалась, что убийцы сейчас в руках следствия. Кто-то из троих живых, включая Голикова, или один, убитый Элизой. Но ни у кого нет мотива — ни убивать Валерию, ни похищать Элизу, ни подставлять так изощренно Артема. По-прежнему самая логичная версия — Сикорская заказала Элизу, чтобы ее дочь стала единственной наследницей. Ошибка с переодеванием. Может, сами исполнители думали, что везут Элизу в тот сквер? Перепутали. Короче, Сикорская хочет, чтобы ее мужа подергали в отместку за то, что он ее бросил. А он в такой ситуации вполне может что-то интересное рассказать о ней. Алиби заказчицы — обычная вещь. Короче, Элиза — не Сергей, не убежит, а Боровицкий может скрыться надолго. А дело такое странное. Как алфавит, в котором стерты отдельные буквы. Нет деталей.

— Ну, что, — позвонил Вася. — Как в аптеке. Пиши номер рейса. Вылет через два с половиной часа. Действительно в Милан.

Глава 28

Стивен сидел в баре и пил кофе. До вылета сорок минут. Вот и закончился еще один период его жизни. В каком-то смысле все надо начинать с нуля. И как хорошо, что не с финансового. Он всегда знал, что настанет момент, когда с Лидией нужно будет расставаться решительно. И, видит бог, он дотянул до последнего. Она сходит с ума, она стала страшной обузой, и поскольку является маниакально изобретательной, то сейчас попробует втянуть его в любой, самый враждебный контакт, пользуясь фактом его отношений с Валерией. Потрясающий цинизм. Она прекрасно все знала. Как это можно было не заметить? Они с Валерией ничего особенно не скрывали. У него есть квартира, Валерия, наверное, была уверена, что когда-то они будут жить в ней вместе, но пока он не собирался бросать Лидию, а Валерии нравилось отбивать мужа у родной матери у той под носом. Ей нравился не столько Стивен, сколько атмосфера разврата. Вся в мать!

В баре появилась очень красивая и какая-то потерянная женщина. Она встала нерешительно прямо у входа и посмотрела на посетителей. Людей было совсем мало: пара за дальним столиком, группа шумной молодежи, сдвинувшая несколько столиков. Стивен увидел, что, рассматривая людей, женщина прижимает тонкими пальцами веки к очень ярким, красивым глазам. Так поступают очень близорукие люди. Так она посмотрела и на него и несмело, медленно подошла к его столику.

— Простите, я вам не помешаю, если сяду рядом? Я сейчас все объясню.

— Да что вы! Очень рад. Составьте компанию, у меня немного времени до вылета.

Стивен вдруг почувствовал легкость. Он улыбнулся, и что-то вздрогнуло, затрепыхалось, как бабочка, в груди. Эта женщина — знак. Он только что думал о свободе, о новом периоде, и, кто знает, может, это она...

— Меня зовут Настя. Извините, мне так неудобно! У меня просьба...

— Успокойтесь, ради бога, Настя. Давайте я прежде всего вам что-то закажу. Кофе, коньяк, виски? Или, может, давайте выпьем по бокалу красного вина?

— Хорошо. Я люблю красное вино.

Стивен щелкнул пальцами, сделал официанту заказ. Настя перевела дыхание, тоже улыбнулась. Перед ними поставили по бокалу красного вина, Насте принесли кофе с мороженым.

— У вас что-то случилось? — вкрадчивым голосом женолюба спросил Стивен, очень надеясь на то, что это просто женская уловка.

— Да ерунда, в общем. Но у меня все превращается в большую проблему. Я привезла подругу, она улетела в отпуск. И я обнаружила, когда она уже ушла... Мы стояли там, шли люди, а у меня вечно расстегнута сумка.

— Вас обокрали? — спросил Стивен уже менее добродушно. Не может быть! Женщина с такой внешностью — мошенница? Он никогда не верил в такие истории, если к нему обращались за денежной помощью.

— Пытались, — объяснила Настя. — Понимаете, я вообще не ношу никаких бумажников, у меня кар-

Евгения Михайлова

точки в пластиковом конверте в кармане джинсов. В сумке, вот тут, вверху, — она показала сумку, — всегда лежат очки. Они в кожаном футляре, очень похожем на бумажник. А я без них — слепая.

Стивен облегченно вздохнул.

— Как женщины все преувеличивают! Вы не ошиблись проемом двери, я видел, как вы рассматривали всех... Вас трудно не заметить.

— Да нет, я вижу, конечно, куда идти, кто сидит. Но я даже своему ребенку не могу позвонить, а мне очень нужно. Я не вижу контактов. Рассматривала, к кому мне подойти за помощью. Хотела к ребятам, просто постеснялась. Они слишком веселые. Такая просьба — смеяться потом будут: слепая старуха. Ребята, они такие...

— Вы на комплимент не напрашиваетесь? Хотя, конечно, нет. Вы просто необычная девушка. Простите, женщина. Не сказал бы, что у вас уже есть сын.

— У меня огромный сын, — гордо сказала Настя. — Ему девять лет!

— Хорошо. Давайте ему звонить. Где телефон? Как его зовут? Нажимать?

— Да, пожалуйста.

Стивен набрал номер, передал телефон Насте, та произнесла:

— Олежек, я уже возвращаюсь. Не выходите без меня.

— С кем он? — поинтересовался Стивен.

— С собакой. Они хулиганят.

— Это хорошо. У меня есть еще немного времени и хорошая идея. Я видел здесь «Оптику». Давайте

купим вам очки для того, чтобы вы без проблем до-
ехали домой. Вы же за рулем.

— Я уже собиралась оставить тут машину, взять
такси. Потом забрать. Действительно: можно ведь купить очки! Я тупею, когда плохо вижу.

Настя не разрешила Стивену заплатить за очки,
которые ей подобрали, расплатилась своей карточ-
кой. Когда они вышли, остановились у окна, она посмотрела на него и рассмеялась:

— Как все меняет такая ерунда. Я только сейчас
вижу, какой вы симпатичный. И так благодарна за то,
что вы меня выручили! И нормально домой доеду.

Она нежно ему улыбнулась, легко и благодарно
коснулась его руки. Затем пробормотала: «Разрешите?» — и сняла с его темного джемпера два коротких
волоска — седой и черный.

— Это у меня маниакальное, — застенчиво объяснила она. — У нас белый пушистый пес, и я постоянно собираю его шерстинки с мужа и сына.

«Есть муж», — так понял ее жест и объяснение
Стивен. Это еще никому не мешало на что-то рас-
считывать.

— К сожалению, мне пора. А ваш муж не проверяет ваши контакты в телефоне? Может, обменяемся?
Мало ли.

— Мой муж ничего не проверяет, это совершенно
точно. Как и я. Мы просто практически всем делимся
друг с другом. И в том, что я взяла телефон человека, который просто спас меня сегодня, он ничего плохого не увидит. Если, конечно, у меня когда-то будет

возможность ему об этом рассказать. Он работает сутками, неделями, короче, мы подолгу не видимся.

Сказанное совсем обнадежило. Стивен опять взял у Насти телефон, доверчиво ему протянутый, добавил свой контакт — номер телефона, имя-фамилию, е-мейл. Потом вызвал с ее телефона себя же и, когда позвонил его телефон, нажал отбой.

— Все в порядке, Настенька. Мы не потеряемся.

— Очень рада. Я провожу вас. Вы далеко, надолго улетаете?

— В Италию. У меня там вилла. Насколько, сам еще не решил. Поскольку я владелец банка, то могу дать себе любой отпуск. Захотелось отдохнуть от всей предыдущей жизни. — Стивен уже позировал, интересничал, интриговал.

— Что-то не так с предыдущей жизнью? — озабоченно спросила Настя.

— Как вам сказать... Фильм такой был хороший. Луспекаев пел: «Не везет мне в смерти, повезет в любви». А мне как раз в любви не везет. Расстался наконец со своей гражданской женой.

— Может, отпуск — это правильное решение, которое все вернет на свои места? Людям иногда нужно отдыхать друг от друга.

— Не тот случай. Мне давно не нужен больше этот человек — ни в каком отношении. Нужен был повод, и он появился.

— Это как-то... жестоко, нет?

— Нет. — Стивен обдал Настю жарким взглядом и подумал о том, как жалко, что эта близорукая, красивая женщина слишком робка, слишком закомплексована, чтобы сразу втянуть ее в приключение. Взять да улететь вместе. Он бы придумал, как это сделать. Но в таких вещах никогда не стоит слишком гнать лошадей. Ему кажется, он ей понравился. Она ведь выбрала его из какого-то количества людей. Провожает. Ну, чем уж он таким ей помог? Любой бы набрал телефон сына. А она, рассмотрев его в очках, улыбнулась, назвала симпатичным, идет провожать. То есть размер благодарности уже не соответствует услуге. Стало быть, надо подождать. Вдруг вообще она позвонит первой? И это будет многое значить, потому что женщина скромная и, судя по всему, верна мужу.

— Я тоже отвечу вам цитатой. «Никогда не говори «никогда».

— Я скажу. Никогда. У этой женщины, с которой я прожил немало лет, черная душа. В юности чем темнее омут, тем интереснее. Страсть. Когда юность проходит, все называешь своими именами: цинизм, жестокость, развратность, — а после этого нельзя не поставить точку.

Она проводила его до эскалатора. Он вдруг резко взял ее за плечи и крепко поцеловал в губы, горячим, влажным поцелуем. Настя постояла, пока он не скрылся из виду. Затем достала носовой платок и стерла с губ его слюну. Аккуратно свернула платочек и положила его в маленький пластиковый пакет. Там уже лежали два волоска Стивена. Набрала номер Масленникова. Конечно, она близорукая, но контакты в своем телефоне видит.

— Здравствуйте, Александр Васильевич. Я хочу к вам кое-что привезти. Вдруг пригодится для идентификации... Пока не знаю, с какой целью и к чему приложить. Просто пока Артем болен, хочется набрать какого-то материала для следственного эксперимента. Ну, может, еще для чего-то.

— И ты туда же. Что у тебя?

— Потовые выделения пальцев на моем телефоне, волосы и слюна бывшего мужа Сикорской.

— Слюна откуда? Он плевался?

— Он меня поцеловал.

— Какой-то ужас. Но Сережка это заслужил. Он нашелся. Сейчас его перебинтуют, и отправим домой. Надоел он тут всем своими выходками.

— Его опять ранили?!

— Да нет. Во время борьбы кровотечение после того ранения началось.

— Какой борьбы?

— Сечкин от него убегал, то есть уезжал. Сережка практически ДТП устроил на встречке. Тот сопротивлялся. Серега скрутил, отвез в отделение. Приехал к нам, чтобы мы его в порядок привели.

— Значит, Сережа тоже знал еще вчера...

— Что?

— Кому Сикорская сообщила о том, что Элизу нашли, бандитов взяли.

— Я не в курсе.

— Она мне сама сказала, что сообщила об этом Сечкину и Боровицкому.

— Значит, Сережке померещилась ниточка. Посмотрим. А твои трофеи я сам возьму у вас дома. Привезу этого пациента, доставлю, так вернее всего будет.

Глава 29

Элиза в больничном халате открыла дверь в коридор. Сидевший у ее палаты молодой полицейский сунул в карман айфон, встал и вежливо сказал:

— Извините, вам выходить нельзя.

— Можно, — сказала Элиза. — Я могу куда-то убежать — в этом халате, тапочках, без денег? Или вы думаете, что я вооружена? Пистолеты, автоматы, пулеметы? Можете обыскать.

— Я здесь сижу, потому что не должен вас выпускать.

— А какой у вас выход? Вы же не станете меня хватать и заталкивать обратно. Я буду кричать и сопротивляться.

— Здесь нельзя кричать, — невольно улыбнулся парень.

— Вот видишь. Как тебя зовут?

— Андрей.

— Не мешай мне, Андрей, пожалуйста. Я сейчас вернусь. Мне нужно туда, в реанимацию. Меня могут увезти, а я не знаю, жив ли мой жених. Мне говорят, что жив, но ты же понимаешь, что я не могу никому верить.

— Я просто не знаю. Кто тебя туда пустит, даже если я не задержу?

— Пустят. Мы можем никогда не увидеться. Ты это понимаешь или ты совсем тупой?

— Иди. Сама бед натворила, а я тупой. Но я буду смотреть. Не хватало без работы остаться.

— Спасибо, — вежливо кивнула Элиза и пошла по коридору.

За большим стеклянным окном была одна кровать, на ней лежал Артем, весь в трубочках разных приборов. Рядом с ним что-то делала операционная сестра Ксения. Элиза потянула дверь, она была заперта изнутри. Она подождала. Когда Ксения открыла дверь, не дала ее закрыть.

— Мне нужно на него посмотреть.

— Да нельзя никому. Даже родителям еще не разрешили.

— Почему? Он умирает?

— Откуда я знаю. Нет... Он пришел в себя, но пока даже дышать не может, а тут ты рвешься. Говорю же: даже матери еще нельзя.

— Мать никуда не денется. Мне ехать в тюрьму. Я — его невеста.

— Какие-то новости. Хотя... Жизнь ты себе поломала из-за него. Сейчас никого нет из врачей. Вот повязка, надень мою шапочку, халат, и на секунду, поняла? Чтобы персонал подумал, что это я, если пройдет кто-то. Что-то мне так жалко вас, дураков.

Элиза в секунды переоделась, прошла в палату, подошла к Артему. Белое лицо, закрытые глаза, черные тени под ними, синие губы. Ей пришлось сдержать всхлип. Она не ожидала, что его вид так ее потрясет. Как не ожидала тогда, что именно он за ней придет в этот ад. Он открыл глаза, посмотрел, глаза расширились.

— Только молчи, — быстро сказала Элиза. — Иначе меня выгонят и никогда к тебе не пустят. Я сама все скажу. Ты должен жить. Ты — мой. Я так решила. И неважно, будем ли мы вместе, увидимся ли еще... Что бы ни случилось, знай: ты — мой.

Элиза наклонилась и поцеловала его руку. Артем чувствовал теплый дождь ее слез. Он понял, что жил ради этой минуты.

— Ой, — вздрогнула у двери Ксения. — Александр Васильевич, я пустила ее. Увезут ведь в тюрьму. Она сказала, что невеста ему.

— Ничего, — сказал Масленников. — Правильно, что пустила. Она невероятно сильный человек, она подтолкнет его к жизни. А насчет невесты — она тоже правильно сказала. Ей теперь нужен статус, чтобы видеться с ним. Их так связала беда.

Элиза склонилась к уху Артема, шепнула: «Спи» и тихо пропела: «Там-та-там-та-там-та-там. Та-там-та-там...»

— Меня здесь не было, — сказал Масленников Ксении и быстро пошел к своему кабинету.

Элиза вернулась, быстро отдала Ксении маску, халат, шапочку. Ксения посмотрела на ее длинные, мокрые от слез ресницы и подумала, что она никого так давно не жалела, как эту самоуверенную, властную девушку из другой социальной «песочницы», которая решила именно так сделать свою судьбу. Легко уже не будет. По одной причине: она не позволит себя вытаскивать. Никому.

— Слушай, давай я тебе сделаю успокоительный укол, — сказала Ксения. — Ты же совсем не спишь, я вижу и слышу.

— Нет, не нужно, ни в коем случае. Я спокойна, мне нельзя ничего пропустить.

— Да елки... Какао у меня есть. Сварить?

— Да... — Глаза Элизы стали беззащитными, детскими. — Мама мне в детстве всегда на ночь варила какао. А где мама и папа?

— Во дворе! Они вообще оттуда не уходят. Боятся, что тебя увезут. А сюда подниматься тоже не очень можно, да и твой покой берегут. Ты же у них большой фрукт.

Элиза подошла к Андрею, который опять встал, смотрел на ее мокрые глаза сочувственно.

— У тебя есть наушники? — спросила она.

— Да. А зачем?

— Воткни себе в уши, послушай что-нибудь. Мне нужно пять минут. Я буду плакать. У меня все хорошо. Мой жених жив. Он пришел в себя. Спасибо тебе.

Глава 30

Сергей делал то, что у него лучше всего получалось: держал паузу. Его мама всегда жалела, что он не стал актером. Кроме внешности голливудского ковбоя, любви к эффектам, он очень здорово умел держать паузу. Мама говорила: это не каждому актеру дано. На что Сергей отвечал: «В жизни всегда есть место паузе». В данный момент он ею наслаждался, наблюдая, как извелись уже все, кого он пригласил к себе в кабинет. Был бы Земцов, тот, конечно, уже пытался бы его оскорбить. Ха! Но сейчас начальник — Сергей, а кроме подчиненных, в кабинете исключительно интеллигентные люди.

— Дама и господа! — наконец произнес он. — Понимаю, что у вас накопились ко мне вопросы. Если выражаться точнее, то вы ими меня задолбали, извините за выражение. К Александру Васильевичу это, конечно, не относится, потому что без него ничего не является фактом. А любая экспертиза требует времени, как и мой мыслительный процесс.

— Да? — с радостной мстительностью переспросил Вася. — Только мыслительный? А Сечкин заявы строчит, что ты ему по уху дал и что-то порвал. Что — забыл, но от Версаче точно.

— Я всегда открыт для закона, — встал в красивую позу Сергей. — Главное, чтобы он был открыт для меня. И это требует отдельного времени. Люди, которые стали в результате расследования фигурантами дел об убийстве Валерии Никитиной и похищении Элизы Никитиной, обладают серьезными возможностями и связями. Их в этом смысле требуется ненавязчиво обезвредить.

— Вот это уже интересно, — вмешался Масленников. — У тебя есть такой секрет?

— Да, — серьезно сказал Сергей. — Дело у нас такое: если ничего не скрывать, то они выставят себя откровенным дерьмом. Может, и откупятся, но запах — на всю жизнь однозначно. Это не просто отъем бизнеса, мужские разборки. Это то же самое, но путем убийства и похищения девушек. Да и сама Сикорская, скорее всего, была бы приговорена. Если бы не я, пардон, мы. Но об этом чуть позже.

Евгения Михайлова

Так или иначе, ответят все. Кроме покойника. Теперь сразу то, что всех интересует. Особенно представителя интересов обвиняемой в убийстве Элизы Никитиной. Есть ли необходимость держать ее в СИЗО? Разумеется, она бы не скрылась. Разумеется, она не социально опасна. Она жертва. Такая крутая жертва оказалась. Пока ее изоляция необходима. Мы не можем охранять ее круглосуточно. Мы не знаем, сколько участников в группировке исполнителей заказных преступлений. И еще кое-кто на свободе, и сейчас для нас очень проблематично его достать. Элиза — главный свидетель обвинения всей этой милой компании родственников, друзей, сожителей, партнеров и их шестерок... Как-то так. Речь и о программе защиты свидетеля. Мы устроим ее нормально. Немного времени.

Итак. Все началось с того, что у любовницы Виталия Никитина родилась дочь, а он их бросил, поскольку любил свою семью. Лидия Сикорская план мести и грабежа вынашивала все время, пока дочь росла. Она очень алчная и жестокая. Да, Виталий Никитин верно почувствовал сердцем отца, что это она заказала преступление против его дочери Элизы. Просто произошла накладка. Сразу скажу, что «накладка» с переодеванием и подставой Артема Васильева обдумывалась не менее тщательно, но уже другими людьми. Посвященным и, стало быть, соучастником стал Стивен Боровицкий, он же Степан Галушка, сожитель Сикорской. Он и обеспечил их алиби, организовав на это время поездку в Альпы. Исполнители числятся коллекторами в его банке. Все трое были судимы за причинения вреда здоровью клиентам банка, у которых они с помощью пыток вымогали деньги, в десятки и сотни раз превышавшие сумму долга. Он их потом по-тихому выкупал у суда, дела превращались в «фальшак» или ошибку следствия, немного менялись данные подсудимых. Эти оказывались невиновными. Трое их или больше, пока выясняем.

Далее. Для похищения Элизы, которая практически никогда не оставалась совсем одна — без водителя или сопровождающего, — Сикорская втянула в дело Сечкина, который понимал, что Элизы ему не видать в качестве жены, но ему пообещали деньги. Сколько, когда, в какой форме — это уточним в процессе очных ставок. Естественно, Сечкин категорически потребовал, чтобы преступление не совершалось в его доме. А Голиков согласился держать у себя Элизу. Впрочем, возможно, он не знал, что речь об убийстве. И он никогда не отказывал ни в чем Сикорской. Что называется, «по-своему» он ее всю жизнь любит.

А дальше Боровицкий и Сечкин строят планы уже вне плана Сикорской. Им-то что: будет Валерия наследницей или нет. Их интересует уже полностью бизнес Никитина. Они прекрасно знают, что за дочь он отдаст все. Ее нужно было держать в заложницах. Самое ужасное, на мой взгляд, заключается в том, что Боровицкий, имеющий влияние на Валерию, склонил ее к соучастию в преступлении. Без нее было бы трудно куда-то заманить Элизу, продержать ее так долго — невозможно. Вы уже поняли, какой это характер. Но она считала себя виноватой перед сестрой. Как могла, пыталась это компенсировать. Поэтому Элиза и сидела добровольно в доме Голикова, слушая по телефону, как где-то мучают Валерию, которая стонет, а ее угрожают убить, если она, Элиза, уедет и кому-то расскажет. Конечно, в это время Валерии уже не было в живых. Она постонала на диктофон задолго до своей смерти и прекрасно знала, какой страшный спектакль готовится. Кроме того, что ее сразу убьют, разумеется. Она была уверена, что все делается для того, чтобы она стала единственной наследницей. Потом ее нисколько не шокировало, что Боровицкий обманывает ее мать, вышибая из строя Никитина и собираясь таким путем отжать его бизнес. Ума у нее не хватило понять, что и он ее не пожалеет.

Ее мотив — выйти замуж за Боровицкого как можно скорее. И она ему поставила такое условие, прежде чем согласиться в этом участвовать. Девушка — циничная и алчная, как мать, она сразу все приняла как практически свершившийся факт. Боровицкий отбирает бизнес у Никитина, Элизу убивают, она будет уже не при сестре, а сама по себе — светская львица. Но ее не устраивала участь матери, вечной содержанки. Она хотела, чтобы все было по закону. И стала шантажировать Боровицкого в процессе подготовки преступления. Угрожала, что иначе все расскажет, кроме того, сказала, что она беременная. Это все показания Сечкина. Боровицкий с ним делился. Как показала экспертиза, она обманула Боровицкого, а он поверил, потому что именно так поступила ее мать с Никитиным. Кое-что есть у Сечкина в видеозаписях, которые он не собирался нам показывать. Валерия подписала себе приговор. И заодно, возможно, матери. Боровицкий и Сечкин решили кардинально все переиграть, чтобы не было ни Валерии, ни бизнеса Никитина, который должен был перейти к ним. И кое-что перешло. Был внедрен в группу директоров фирм Никитина человек, который уже уводил кое-что в офшоры преступников.

Для того чтобы все это не сложилось у следствия с легкостью в одну картину, нужен был совершенно чистый обвиняемый. Чистый от корыстных мотивов. Ревность — самое оно. Артема накачали чем-то на вечеринке, где он был, просто пришел в эту открытую для всех квартиру исполнитель с сильнодействующим препаратом, который действительно провоцирует амнезию при смешении с алкоголем. Дальше — дело техники. Его отпечатки обуви, рук на палке, кровь Валерии на куртке и так далее. Боровицкий увез Сикорскую в Альпы, но он вернулся в Москву на три дня. Он убивал Валерию или кто-то из его наемников — над этим Александр Васильевич сейчас работает. Благо моя жена предоставила материал, поцеловавшись с преступником в аэропорту. Настя, я не в укор, а честности ради. Как его оттуда выманить — черт его знает. Нам сейчас не рвутся помогать. У него могут быть источники. Даже среди нас. Я не имею в виду присутствующих.

— Я привезу его, — сказала Настя. — Ради этого я полечу, найду, смогу привезти в Москву.

— Да? — оживился Сергей. — Обалденная идея. Он тебя встретит, привезет на свою виллу, и, прежде

294

чем вы полетите, как голубки, в Москву, ты получишь массу материала для различных экспертиз. Но этот материал категорически больше не требуется.

— Ну, да... Это проблема. Но я смогла бы его уговорить прилететь и по телефону. Только он должен быть уверен, что с делом все в порядке, его участие не требуется. Кто-то должен ему это сказать.

— Сикорская и скажет. Из камеры. Она там матерится, контролера пытается за водкой послать. Ох, как ей хочется, чтобы он сел на скамью подсудимых рядом!

— Надо помочь женщине, — серьезно сказал Масленников. — Даже если водки принести потребуется. Так естественней получится. Только основной текст должен быть написан нами. А дальше — Настенька, ваш выход. Мой вам поклон. Не ожидал.

— Скрывала от меня, — пробормотал Сергей, — что коня на скаку остановит. Но надо сказать, что с женщинами нам повезло. Элиза Никитина настолько наблюдательна и умна, что смогла выстроить всю эту историю, несмотря на свой стресс. Валерию в ту ночь вызвал из дома Голикова мужчина, и по времени этот звонок исходил с телефона Боровицкого. Мы проверили. Распечатка есть. Боровицкий оказался вдохновенным преступником. Звонки со скрытых номеров тоже вывели на него. Палка была просто куплена в аптеке и приготовлена заранее, лежала под деревом. Извините, звонок от Масленникова. Да, на палке отпечатки пальцев Боровицкого. Ну, скотина! Даже я такого не ожидал. За дело, друзья.

Эпилог

Настя, чуть подкрашенная, улыбающаяся, в невероятно элегантном черном, облегающем платье из тонкого шелка, в босоножках на высоких каблуках, с сумочкой от Нины Риччи через плечо, была просто картинкой. Ее невозможно было не заметить.

Сережа вдали за колонной сам не мог от нее отвести взгляд. Вася тоже. А он никогда не сдерживал своих чувств и мыслей.

— До чего же хороша баба... прости, не хотел. Я хотел сказать: до чего же красивая у тебя жена, Серега. И одеваешь ты ее, надо сказать, как королеву. Частный сыщик — это не следак на зарплате. Я только что решил, что никогда не женюсь. И наряжать ее надо, и терпеть, что она целоваться сейчас будет черт знает с кем.

— Вот за то, что даже ты, мой бесчувственный друг Вася, на Настю запал, я скажу, что на самом деле на ней никакая не фирма, а чистейшие китайские подделки, которые стоят по нынешним временам гроши. Если бы она услышала, как я выдаю ее тайну, то, наверное, перестала бы навсегда со мной

Евгения Михайлова

разговаривать. Драться она не умеет. Но мне самому это мероприятие настолько ненавистно, что ты, Вася, лучше меня не трогай. А то сорву все на фиг.

— Ты чего! Не вздумай. У нас обвинение готово. Масленников всю ночь работал, чтобы закончить экспертизу. Есть следы Боровицкого и на палке, его пот на куртке Артема, где-то там еще и слюна. И волоски нашлись. С дурной головы волосы бегут.

— Да, с Артема обвинение снято окончательно. Взяли всю обувь Боровицкого в квартире Сикорской. Нашлись и те ботинки, которые у нас на фото. Он их просто швырнул в кладовку и не помыл. А на них следы крови Валерии. Он, похоже, в пакет немного взял, догнал Артема, сунул в руки палку, испачкал куртку. На него, естественно, тоже попало. Просто одежда уже постирана, почищена, а на ботинках есть. Да ты не пугайся, Вася. Я, конечно, Отелло, но не в такой степени. Дело не сорву. Но Настя могла бы улыбаться менее радостно, тебе не кажется?

— Правильно она улыбается. Какой ты нудный. И зачем она за тебя пошла? Она одна сейчас встретит убийцу. Мы же не можем рядом стоять. Думаю, помнишь случаи, когда преступники из-под носа уходили. А этот такой хитрый. Да и сильный. Может быть вооруженным. Как Настя его выманила, даже не представляю.

— Ну, как. Чего тут представлять. Сикорская сказала ему, что дело в суд передали, Артем обвиняемый. Вину его бандитов мы не сумели доказать.

Просто понравилась им Элиза. Так типа мы решили. А потом Настя ему позвонила и скромно сказала, что муж уехал в командировку, а ребенок у мамы. И он полетел на крыльях любви. Кажется, есть. Да, подходит. Махни ребятам.

Стивен бежал к Насте, загоревший, похудевший, счастливый, как подросток на первое свидание. Он схватил ее за плечи, страстно стал целовать в губы. Вася придержал руку Сергея, которая потянулась к кобуре. Они уже стояли совсем близко. С другой стороны подошли еще два сотрудника. Когда руки Стивена оторвали от Насти, вывернули за спину и надели на них наручники, тот какое-то время не мог поверить в то, что уже произошло. Он смотрел на Настю, которая перестала улыбаться и спокойно поправляла волосы. Наконец он все понял.

— Ты... Ты...

— Если ты скажешь женщине плохое слово, получишь в лоб, — спокойно сказал Вася. — Не усугубляй.

— Боровицкий, вы обвиняетесь в убийстве Валерии Никитиной, организации похищения Элизы Никитиной, попытках отъема собственности Виталия Никитина, организации поджога его фирмы. Вы обвиняетесь также в фальсификации против Артема Васильева. В чем ты только не обвиняешься, сволочь. Еще и жену мне обслюнявил!

Стивен смотрел только на Настю.

— Ты ответишь, рано или поздно ты мне за все ответишь.

Евгения Михайлова

* * *

Когда дело было практически раскрыто, то произошло то, что нередко и происходит, когда преступление вместе совершают люди, конкурирующие в бизнесе, связанные тяжелыми личными отношениями. Что-либо скрывать не имело смысла, каждый для себя обвинил других в том, что втянули, в том, что все открылось. Задумывалось практически «идеальное» преступление. Оно не было бы раскрыто, если бы соучастники хорошо относились друг к другу. Но этого, наверное, не бывает с теми, кто способен замыслить убийство. А все фигуранты оказались способными. В процессе еще и друг друга обманывали. Боровицкий и Сечкин страшно поступили с Сикорской, но кто пожалеет мать, которой и принадлежала идея убийства сестры своей дочери? Сечкин и Боровицкий пытались обмануть друг друга, строя планы на бизнес Никитина. Попавшись, все еще больше возненавидели друг друга, охотно делились обильной информацией. Отдел работал без передышки, все проверяя, сопоставляя, количество томов уголовного дела близилось к сотне. Коллекторы сдавали заказчиков с потрохами. Костя сказал, что из его машины Боровицкий позвонил Валерии и сказал, что хочет провести с ней ночь в квартире Петра Голикова, который останется с Элизой в загородном доме. Где ее и убьют. Боровицкий и сказал Валерии, чтобы она приехала в одежде Элизы. Он любил ролевые игры. Как и она. Костя был прямым свидетелем убийства, это его увидела Анна Семеновна рядом с деревом в сквере.

Сечкин говорил меньше всех, Сергея не оставляло предчувствие, что именно его вытащат. Петр Голиков, что называется, «попал». Он даже не во все был посвящен, только у него не было материальной заинтересованности. Была зависимость от Сикорской и мало ума и совести. Лидия просто велела ему отвезти Элизу в свой дом. Оттуда ее должны были сразу забрать бандиты. Она сказала — для вымогательства денег у Никитина и ее мести за то, что он ее бросил. В это же время Лидия улетела в Альпы вместе со Стивеном, а Сечкин сказал, что сценарий меняется. Будет этот спектакль по телефону, чтобы Элизу задержать. Это якобы попросила Сикорская. Нужно оформить всякие бумаги на передачу недвижимости Элизы сестре. Когда Петр узнал по телевизору об убитой девушке у своего дома, увидел кадр, в котором узнал пальто Элизы, он сделал то, что всегда делал в трудных случаях, — запил.

Боровицкий, скорее всего, был врожденным убийцей. Просто ему сразу повезло с Сикорской, ее деньгами, связями. Его считали бизнесменом. Он сам так считал. Но чужая жизнь для него ничего не стоила. Он и думать не думал, что его сложный сценарий будет разгадан, его вычислят, поймают. Он так наслаждался деталями. Придумывал звонки со скрытого номера, чтобы причинить жертвам как можно больше страданий, свести с ума Никитина. А если бы его не взяли, то, разумеется, следующей жертвой была бы

Сикорская. Да, собственно, и Сечкин. Доверять в таких вещах никому нельзя, и делиться неохота. Процесс обещал быть долгим.

Дело Элизы, убившей Никиту Иванцова, выделили в отдельное производство. Ее отец зашел перед судом к Сергею.

— У меня нет к вам претензий, — сказал он. — Я просто не могу понять: неужели вы не могли написать, что Иванцов был тогда без наручников, он ведь чуть не убил и вас, и Артема. Зачем было затевать это дело против девушки, которая столько времени была одна с бандитами, ее могли, ее должны были убить...

— Я скажу очень просто. Фальсификация в уголовном деле — это чума. Даже если это из самых благородных побуждений. Допустишь ее в одном месте, в мелочи, и все провалится. А убийство — это не мелочь, хотя Элиза думала, что стреляет в убийцу. Она не знала, что Артем жив. И потом там, кроме моих сотрудников, были еще два свидетеля. Мне что, заставлять их врать на суде?

— Да, конечно. Лучше честно. Пусть миллионы убийц бегают по стране, а моя честная и храбрая девочка сидит в тюрьме!

— Подождите. Не горячитесь. Там много обстоятельств, которые суд не может не учесть.

— Вообще-то проблема лишь в том, что мне помогли бы без труда, но Элиза не разрешает.

— Понимаю. Она хочет пройти этот путь. Она не совсем обычный человек, и ее устроит только собственное решение.

— Ужас, Сергей! Я считаю себя слабым человеком. Галина — хорошая обычная женщина. Откуда у нас такая девочка из хрусталя и стали?

— Повезло, — улыбнулся Сергей. — Я думаю, все будет нормально. Настя ночи не спит, готовится. Она тоже не простая. А кажется нежной и слабой. Женщин трудно понять, лучше не пытаться. Они все равно сделают по-своему.

* * *

Ирина и Николай заехали в машине во двор суда. Артем сидел на заднем сиденье, в багажнике была инвалидная коляска. Вроде бы они обо всем договорились. Он может ходить. Но лучше пока не напрягаться. А тут еще такие переживания. Отговорить его от суда не удалось. На коляску он согласился. Когда Николай ее вынул из машины, он опять начал спорить:

— Я могу идти. Зачем это вообще нужно?

— Ты не понимаешь? — спросила Ирина. — Давай объясню. Судья предложила Никитиным закрыть слушание. Элиза, разумеется, не согласилась. «С какой стати? — сказала она. — Хочет прийти пресса, пусть она пишет то, что будет действительно сказано, а не те сплетни, которые они соберут». Понимаешь, она не собирается ничего скрывать. Она не защищалась в тот момент, а стреляла, как она думала, в твоего убийцу. А сейчас все увидят и будут снимать, как ты идешь, высокий и стройный, как будто здоровый. Издалека же не видно, как тяжело тебе еще дышать. Всем не объяснишь. Так что дело не только в том, что тебе нужно пройти как можно меньше, но и в том, чтобы помочь Элизе.

Все это было чистейшим экспромтом для того, чтобы уговорить Артема доехать до входа на коляске. Конечно, Масленников был против его присутствия на этом суде. После такой операции может возникнуть любое осложнение. Сама обстановка, вид Элизы за решеткой и под стражей. Но Артем согласился сесть в коляску. Ирина его убедила. По коридору он шел спокойно, не обращая внимания на зевак, привлеченных информацией, и на прессу. Они сели на стулья в коридоре. Ждать пришлось недолго. Распахнулась внутренняя дверь, и в окружении вооруженных полицейских ввели Элизу. Боже! Они надели на нее наручники!

Заседание началось. Элиза поднялась за своей решеткой, когда вошла судья. Представитель обвинения и Настя уже сидели на своих местах. Прокурор оказалась женщиной. Трудно было представить более контрастных женщин. Красивая и спокойная Настя в белой блузке и черной юбке и практически бесполое существо в мундире. Совсем не старая, но один в один — Шапокляк. Виталий Никитин вздохнул со стоном. Такая обвинительница может потребовать что угодно. Он рассчитывал, что будет мужчина. Элиза села, посмотрела в зал и нашла Артема. Больше она ни на кого не смотрела, даже на родителей. Он не смог улыбнуться, так был потрясен всем этим.

ГОРОД СОЖЖЕННЫХ КОРАБЛЕЙ

Он сначала вообще ничего не слышал. Потом отреагировал на какое-то волнение в зале. Изменилось выражение лица мамы. Он прислушался к тому, что говорит женщина в мундире с каким-то странным, зловещим лицом. Она начала с обобщений о распущенности папенькиных дочек, уверенных в покровительстве мужчин. Потом перешла к ценности любой жизни, которую ни вернуть, ни восполнить... Потом... Всем показалось, что они ослышались. Обвинитель потребовала семь лет строгого режима. Артему показалось, что его сердце опять останавливается.

Слово дали Насте, адвокату подсудимой. У Насти была речь с доказательствами, с примерами истязаний Элизы, с выдержками из закрытых уголовных дел Никиты Иванцова. Она могла доказать, что дела списаны в архив незаконно. Но она вдруг поняла, что все это не прозвучит на фоне этого срока. Такая задана планка, такая подводка о потере для человечества, что ее просто не будут слушать. Все же человека действительно нет, а Элиза — вот она. Молода, хороша собой и не выглядит угнетенной. Настя так просто и сказала:

— Я приготовила речь с обильной информацией, я могу потом поделиться ею с репортерами, но сейчас, после такого обвинения, я не буду ее произносить.

В зале стало очень тихо. Ошеломленные люди подумали, что адвокат отказывается от защиты. Но Настя продолжила:

— Скажу очень коротко. Элизу Никитину, красивую, молодую, здоровую девушку, приговорили к смерти. Из-за денег отца. Взрослые люди, знакомые семьи. Ее держали обманом в заточении две недели. Потом отдали на растерзание исполнителям, потенциальным убийцам, которые решили сначала с ней развлечься. Руководил постоянный наемный исполнитель таких заказов Никита Иванцов. Девушку били, пытались изнасиловать. Три пьяных мужчины не смогли это сделать. Так отчаянно она сопротивлялась. Это такой человек. Она бы смерти так не сопротивлялась, как унижению. И тут вместе со следственной группой в квартиру бандитов приходит человек, который дорог Элизе с детства. И Никита Иванцов, стреляя в следователя, попадает Артему Васильеву в сердце. Потому что Артем автоматически прикрыл собой следователя. Он казался мертвым, когда Элиза его увидела. Да, Иванцов в это время был уже в наручниках. Но Элиза Никитина свершила акт справедливости, как она его понимает. Она ответила. Не за себя. За дорогого ей человека. Она убила убийцу.

Мне не хочется отвлекаться на подробности, их все с легкостью узнают. Я просто все время думаю: как бы я поступила, увидев убитого жениха, мужа, сына? А рядом убийцу? Как? Я мухи никогда не убила, и это не образное выражение. Но я не попадала в такую ситуацию. А кто застрахован? Никто. Значит, надо думать и об этом. Я взяла бы пистолет, если бы он валялся рядом, как тогда, когда его вырвали у Иванцова. Иначе я не смогла бы жить. Наши близкие нужны только нам. У меня все. Я прошу оправдать Элизу Никитину. Она не виновата в том, что ее путь пересекли заказные киллеры и ей пришлось вести себя по их правилам.

В зале кто-то всхлипнул. Судья, бледная женщина с совершенно закрытым выражением лица, предоставила Элизе последнее слово.

— Но прежде всего ответьте на главный вопрос: вы раскаиваетесь в содеянном?

— Хорошо, — встала Элиза. — Я не раскаиваюсь. Прошло довольно много времени. В заключении время тянется дольше, чем в обычной жизни. Я поняла, как страшна несвобода. Но и сейчас я поступила бы так же.

Артем закрыл лицо руками. Никитины были белее стен. Им сказали, что раскаяться она должна непременно. Сергей переводил взгляд с Элизы на судью. В это время в зале раздался вопль:

— Ах ты, убийца проклятая! Не раскаивается она, что я осталась без сына! А чем он хуже твоего кобеля? — кричала женщина в черном платье и черном платке. — Чтоб ты сдохла там, на зоне.

Опять несколько секунд мертвой тишины. Затем голос Элизы:

— Я отказываюсь от последнего слова, потому что перед осиротевшей матерью мне оправдаться нечем. Если не сдохну, как она мне пожелала, а буду жить, мне до конца нести перед ней этот грех. Она — мать. Все, что происходило, к ее горю отношения не имеет. У меня все.

Судья встала, объявила перерыв до вынесения приговора. Настя, Сергей, Никитины и Васильевы растерянно переглядывались. Прокурорша, которая еле сдержала улыбку-оскал, когда кричала мать, уткнулась в бумаги.

Состав суда вернулся. Судья, с тем же закрытым выражением лица, сухо произнесла:

— Это убийство. Оно не оправдано, так как стрелявший в жениха подсудимой преступник был уже обезврежен. Закон не позволяет нам оставить это без ответственности. Представитель обвинения требует семь лет строгого режима. И мы бы вынесли такой приговор, если бы Элиза Никитина похитила Иванцова, истязала его, чтобы убить и получить за это деньги. Но все было наоборот. Она виновата лишь в том, что подняла пистолет и выстрелила, увидев, как ей показалось, убитого жениха. В том, что защищала не себя, а близкого человека. Да, всё решают наручники на руках Иванцова. Он уже не был опасен. Никитина сознательно пошла по этому пути, к этой скамье подсудимых. Но я думала над словами защиты. Как поступила бы я, увидев, что моего мужа или сына убили? Оставляя этот вопрос без ответа, оглашаю приговор Элизе Никитиной. Три года условно. Прошу освободить подсудимую в зале суда.

* * *

Элиза переехала к Васильевым в день, когда выписали Артема. Ее привез Виталий. Он остался стоять в прихожей, а Элиза с небольшим рюкзачком, поздоровавшись с Ириной, прошла в комнату Артема. Тот смотрел на нее, оцепенев. Он был уверен, что она пришла с ним попрощаться. Лето, поедет отдыхать. И забудет его и весь кошмар, как страшный сон. Ему ведь объяснили, что статус «невесты» ей нужен для того, чтобы навещать его в больнице. Или ему навещать ее в тюрьме. Теперь такая необходимость отпала. Он хотел только одного: чтобы она не произносила, как это для нее характерно, четких и ужасных выводов и решений. Пусть просто попрощается и уедет, оставив неопределенность и надежду.

— Я не помешаю? — спросила Элиза. — Мне в больнице сказали, что ты дома, а я еще не купила телефон. И вообще, не люблю звонить.

— Чем ты можешь мне помешать? Ты прекрасно знаешь, что я счастлив видеть тебя. Именно счастлив.

— Я не о тебе спросила. Всем вам я не помешаю? Я приехала здесь жить. Окрепнешь после больницы — распишемся.

— Ты делаешь мне предложение? — рассмеялся Артем, а глаза его стали странно горячими и влажными. Не хватало еще! «Держись, олух, — сказал он себе, — надо все же выглядеть мужчиной».

— Да, — ответила Элиза. — Тут все ко мне приставали с этим «статусом». Это ерунда. Мне не нужны условности и предлоги. Я просто поняла, что без тебя моя жизнь лишена основного смысла. Я поняла это тогда... Ты всегда был рядом. С детства. Я могла себе позволить строить разные планы на жизнь. С разными людьми. Проверять их на практике. Но необходимо было условие. Ты должен был быть рядом. Вот и все уравнение. Ты — и есть мой план. А если говорить человеческим языком, то я испытала такой страх, когда подумала, что тебя больше нет, что глаз не спущу. Ты согласен?

— Ничего себе! Ты со мной, как с предателем. Шутка. Я не просто согласен, мне больше ничего никогда не было нужно.

— Было нужно, и я в курсе. Артем, этих девушек и дам — список есть — я не потерплю.

— Но ты не будешь как с Иванцовым?

— Шутка плохая, но я тебя прощаю.

Виталий смущенно говорил Ирине:

— Ирина, мы ничего не смогли поделать. Она приехала к вам жить и выходить замуж за Артема. Вам будет тесно и сложно. У нас квартира в десять раз больше. Есть квартира, купленная для нее. Дом. Ее виллы в Черногории и Словакии. Но ей сказали в больнице, что он должен понаблюдаться еще. Элиза решила, что его нельзя отрывать от родителей.

— В этом она права. Только я знаю, что нужно моему сыну, когда он болеет.

— Моя дочь, конечно, считает, что теперь это знает только она. Очень прошу вас ее понять. И прощать. Она добрая и великодушная. Просто категоричная и прямолинейная. Мы ее обожаем, все принимаем, вы...

— И мы примем. Наш сын ее обожает. Все его беды из-за этого. Пусть будут тут, на глазах. Натерпелись мы.

— И мы. Значит, так. Продукты, лекарства, одежда, свадьба, когда дойдет до этого, — мои проблемы. В этом я категоричен, как Элиза. Только, ради бога, не считайте, что я вас хочу унизить, что ли. Для меня это такая возможность приезжать, видеться с дочерью. Короче, мы втискиваемся в вашу жизнь без стыда и совести.

— Ну, что же. Учимся быть родственниками?

— Мы с Галей будем очень рады. Вы нам очень нравитесь. Так я за продуктами?

— Я все купила!

— Да я просто за излишествами. Совсем немного. Дети наши настрадались. У меня есть знакомые... Я к тому, что в магазинах теперь — дорогая гадость. Детям нужно подкормиться.

...Утром, после семейного завтрака за раздвинутым кухонным столом, когда Элиза и Артем, отвалившись, пошли в свою комнату досыпать, Николай сказал:

— Спасибо. Все было как-то необыкновенно вкусно. И наша без пяти минут невестка — всем на зависть. Девушка красивая, умная, популярная. Вот только в ее присутствии мне почему-то встать хочется, стыдно за комнатные тапочки, а когда она заходит, с трудом сдерживаюсь, чтобы честь не отдать.

— Милый ты мой, — рассмеялась Ирина. — Немножко сложно, конечно. Такие у нас перепады. Столько лет жили тихо, незаметно. Зато ребенок остался дома.

— Что это шумит?

— Стиральная машина. Элиза стирку затеяла. О! Она параллельно и пылесосит. Надо позвонить Виталию, чтобы он не присылал никаких помощниц. Элиза, кажется, взялась за мое запущенное хозяйство.

— Ужас. В разных местах мои грязные носки.

— Значит, будут в одном и чистые. Коля, после свадьбы они поедут в дом Элизы в Черногорию. И мы с ними — так сказал Виталий.

— Здорово! А ты считала, сколько времени мы не работали? Все стоит. Я вчера подумал, что нас не уволили только потому, что забыли.

— Не потому. Никого не найдут на такую зарплату. А мы все же что-то собой представляем. Ну, значит, не поедем с ребятами. Будем работать. Для нас это нормальнее, чем не работать.

* * *

Утром Олежек с порога позвал Мая:

— Май, ты со мной идешь гулять. Папа устал, а про маму по радио передавали. Она теперь известный адвокат. Нам нужно всем рассказать. Не все же слышали.

Настя от ужаса натянула одеяло на голову. Когда сладкая парочка вышла из квартиры, она сказала Сергею:

— Ты представляешь, какой кошмар? Он же сейчас будет всем это говорить!

— Ты же не хочешь заткнуть рот ребенку. У нас свобода слова. К тому же ты действительно на процессе здорово себя повела, с экспромтом, слезой. Люди в зале зарыдали. Пусть говорят. Передача такая есть. Сегодня об этом узнают собаки. Раз к пиару привлечен Май.

— Ты соображаешь, что говоришь? Зачем мне это нужно? И не оправдали, главное. И потом все сделала Элиза, у меня были мурашки на коже, когда она говорила.

— Она на свободе. Дальше дело техники. У Никитина есть юристы, которые доведут все до конца. Это ведь не Элиза, это какая-то Кармен. У тебя действительно был отличный дебют. Предыдущие дела по сравнению — просто разминка. Я временами даже сомневался, что ты пошла по верному пути. Теперь не сомневаюсь. Очень мало адвокатов, которым удается судью довести до состояния нормальной женщины. Что касается Элизы — давай закроем тему. Вообще. Надоела. В печенках сидит. Такой тяжелый человек! Завтра приезжает Земцов, передаю дело в его бесстрастные руки. Все, на свободу, в глушь, в Саратов. Обними меня. Пусть я тебя втянул в этот кошмар. Но я очень люблю тебя, нам есть ради чего выплывать из любого омута.

* * *

Сергей стоял в вольере питомника служебных собак и смотрел, как принимает его угощение овчар Дик. Тот проглатывал, практически не жуя, один, довольно большой кусок вырезки, поднимал голову, улыбался, потом принимался за другой.

— Я к чему... — беседовал с ним Сергей. — Жена меня гением называет, когда чувствует вину. А я к тебе пришел, чтобы честно, по-мужски сказать: ты — гений. Но и на старуху бывает проруха. Хотя ты отличный кобель, а не старуха, конечно. Но ты с легкостью мог бы привести нас к двери настоящего убийцы, пусть даже он организовал себе алиби и дома его не было. Но ты пошел по легкому пути, Дик. Ты привел нас к Артему, который ни убегать, ни прятаться, ни сопротивляться и не подумал. Он даже тебе почти поверил, согласился, что мог убить любовь своей жизни и забыть. Накачали его немного, ну чтобы все забыл. Так это меня мучило, Дик. А тебя? Тебя, вижу, не очень. Но талантов твоих это не отменяет. Поблагодарить я пришел. Как всегда.

«Это все?» — удивленно посмотрел Дик.

— Конечно, нет. Я тебя знаю. Самое сладкое оставляю на потом. Чтобы ты понимал, как я тебя ценю и уважаю.

Сергей вынул из кармана еще один пакет и торжественно выложил перед Диком еще три больших куска.

— Не, ну че? — раздался за ним голос сотрудника питомника. — Мы что, собак не кормим? У них нет режима?

— Не мешай, — спокойно сказал Сергей. — Твоя работа — покормить, выгулять, научить чему-то. Молодец. Но у нас с Диком отношения чисто интеллектуальные и сотрудничество психологическое. «Бог в деталях», — сказал когда-то известный многим, но не тебе, архитектор Мис ван дер Роэ. Для нас с Диком деталь — это иногда судьба человека. И мы разобрались! Так что если бы он пил, я бы выставил.

— Ну, ты даешь! Вот этого мне не хватало. Пьяных собак. Не понял я, конечно, про какого ты Миса говорил, но что Дик, как всегда, вашу работу сделал, понял. И дам ему выходной. И лишний раз погуляю. Собака — это не человек, ей верить можно. Мне не жалко, что ты его лишний раз покормил. Просто ты его приручить пытаешься. Я давно понял. А он мой. Люблю его. И он меня. Отслужу — заберу с собой. Их срок работы короткий. Поживет дома.

— Вот история, такой еще не было. Все друг друга ревнуют. Даже собаку. Ладно, ты сказал — я проверю. До встречи, Дик.

Оглавление

Литературно-художественное издание

ДЕТЕКТИВ-СОБЫТИЕ

Евгения Михайлова

ГОРОД СОЖЖЕННЫХ КОРАБЛЕЙ

Ответственный редактор *О. Рубис*
Редактор *А. Гедымин*
Художественный редактор *С. Груздев*
Технический редактор *О. Лёвкин*
Компьютерная верстка *Г. Ражикова*
Корректор *Е. Дмитриева*

ООО «Издательство «Э»
123308, Москва, ул. Зорге, д. 1. Тел. 8 (495) 411-66-86; 8 (495) 956-39-21.

Өндіруші: «Э» АҚБ Баспасы, 123308, Мәскеу, Ресей, Зорге көшесі, 1 үй.
Тел. 8 (495) 411-68-86; 8 (495) 956-39-21.
Тауар белгісі: «Э»
Қазақстан Республикасында дистрибьютор және өнім бойынша арыз-талаптарды қабылдаушының өкілі «РДЦ-Алматы» ЖШС, Алматы қ., Домбровский көш., 3«а», литер Б, офис 1.
Тел.: 8 (727) 251-59-89/90/91/92, факс: 8 (727) 251 58 12 вн. 107.
Өнімнің жарамдылық мерзімі шектелмеген.
Сертификация туралы ақпарат сайтта Өндіруші «Э»

Сведения о подтверждении соответствия издания согласно законодательству РФ о техническом регулировании можно получить на сайте Издательства «Э»

Өндірген мемлекет: Ресей
Сертификация қарастырылмаған

Подписано в печать 11.08.2015. Формат 84х108$^1/_{32}$.
Гарнитура GaramondC. Печать офсетная. Усл. печ. л. 16,8.
Тираж 9000 экз. Заказ № 5790

Отпечатано с готовых файлов заказчика
в АО «Первая Образцовая типография»,
филиал «УЛЬЯНОВСКИЙ ДОМ ПЕЧАТИ»
432980, г. Ульяновск, ул. Гончарова, 14

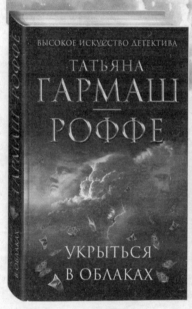
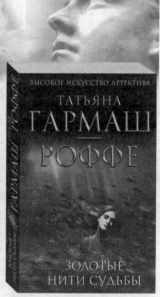
0000-042